リラックマのあみぐるみ with サンエックスの人気キャラ

リラックマのあみぐるみ with サンエックスの人気キャラ

目　次

Rilakkuma P.4
OLのカオルさんの家にいきなり住みついた
着ぐるみのクマです。
いつもごろごろリラックス中！

きほんのリラックマ P.6
だららんポーズ P.7
いろいろ衣装せいぞろい P.8
うさぎとあそぼ P.10
ハニー＆スマイル P.12
たまごテーマ P.14
ハッピーナチュラルタイム P.16
アロハリラックマ P.18
パペット P.20

Sentimental Circus

サーカス団の仲間たち P.22

街角や部屋の片隅に忘れられたぬいぐるみたちが、夜にこっそり抜け出して結成した秘密のサーカス団『センチメンタルサーカス』。今夜も不思議な仲間が集まって、ショウタイムのはじまりはじまり。

Kutusita Nyanko

みんななかよし靴下にゃんこ P.24

「靴下にゃんこ」は本当に靴下をはいたねこ。やんちゃなロッシーと、雑貨屋さんの看板ねこのシロちゃんとで、毎日なかよくすごしています。

Mamegoma

お洋服を着たまめゴマたち P.26

最近発見された手のりサイズの小さなアザラシです。体長約12cm、体重約200gで種類もいろいろ。性格はとても人なつこいよ。

Sumikkogurashi

すみっこ大好きすみっコぐらし P.28

寒がりのしろくま、恥ずかしがり屋のねこ、自分に自信がないぺんぎん?、食べ残されたとんかつのはじっこ…「すみっコ」たちはみんなでひっそりとすみっこで暮らしています。

Tarepanda

うつぶせ P.30

今日もよくたれています。さわるとやわらかく、意外としっとりしています。好物はすあま。気がつくと、あなたのそばでもたれているかも…?

さあ、作りましょう! P.32
この本で使われている刺しゅうの仕方 P.33
この本で使われている編み目記号 P.63

Rilakkuma
リラックマ

1本の糸を
編み進むと……

世界にたったひとつ
自分だけの
リラックマができます。

ゆっくりのんびりと
できあがりを楽しみに
編みましょう。

作り方 リラックマ：34ページ

少し小さい
コリラックマ
リラックマとセットで
作りましょう。

小さなくちばし、小さな目
キイロイトリは
小さいパーツを
しっかり作るのがポイント！

作り方 コリラックマ：36ページ
キイロイトリ：33ページ

Rilakkuma
リラックマ

きほんのリラックマ

3人セットで作って
セットで飾れば……
リラックマ達も楽しそう！

だららんリラックマ

ポーズがかわいいリラックマ
寝そべりポーズは
見ているだけでもほっこり！

黄色のクッションも、
作ってあげましょう。

作り方 だららんリラックマ：37ページ

Usagi

Egg

Honey & Smile

いろいろ衣装せいぞろい

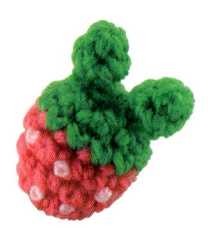

服や小物をたくさん作って
楽しみましょう！

季節に合わせて
飾ってもいいですね。

Happy Natural

Aloha

Usagi to asobo
うさぎとあそぼ

おそろいのフードをかぶって
うさぎになった
リラックマとコリラックマ。

いちごもおそろいの
うさぎのかたち。

細編みだけで編むので簡単！
目数をしっかり数えて
編みましょう。

作り方 うさぎリラックマ：38ページ
うさぎコリラックマ：39ページ
いちご：38ページ

11

Honey & Smile

ハニー&スマイル

かわいいハチのかっこう
リラックマたち

しましまのパンツも
背中の羽根もかわいいですね。

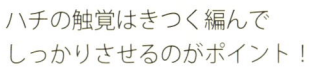

ハチの触覚はきつく編んで
しっかりさせるのがポイント！

かわいい小ットケーキと
いっしょにならべて。

作り方　リラックマ（ハニー＆スマイル）：40ページ　　キイロイトリ（ハニー＆スマイル）：42ページ
　　　　コリラックマ（ハニー＆スマイル）：41ページ　　ホットケーキ：42ページ

Love Eggs !
たまごテーマ

リラックマたちは
たまご好き。

たまごのカラに入った姿も
とってもキュート！

たまごのカラは
コロンと丸くなるように
編みましょう！

作り方 目玉焼きトースト：44ページ
たまごのカラ：43ページ

Happy Natural Time
ハッピーナチュラルタイム

子鹿やミミズクのコスチューム
リラックマたちの大好きな
フルーツに囲まれて
おすましポーズ

ほっこり
やさしい気持ちになりますね。

リラックマたちのお気に入りのフルーツを
たくさん作ってあげましょう！

作り方　ナチュラル リラックマ：45ページ
　　　　ナチュラル コリラックマ：46ページ
　　　　ナチュラル キイロイトリ：47ページ

17

Aloha Rilakkuma

アロハリラックマ

サーフボードにムームー
リラックマたちは
バカンスを満喫中！

元気でポップな色がポイントです。

服も小物も
メインは細編みです。
1つの編み方でいろいろ作れますね！

作り方　サングラス：49ページ　ムームー：48ページ
　　　　サーフボード：49ページ　ジュース：48ページ

Puppet
パペット

楽しさいっぱいの
あみぐるみのパペットです。

リラックマといっしょに
遊びましょう！

キュートなしぐさが
たまりませんね。

作り方 パペット：50ページ

Sentimental Circus
センチメンタルサーカス
サーカス団の仲間たち

1つ編むと……
また、編みたくなる仲間たち
サーカスが始まりそう！

リオ
取り外しできるたてがみが
ポイント。

シャッポ
手品のネタが詰まった帽子は
しっかり編みましょう。

ムートン
しっぽはポンポンで
作ります。

作り方
シャッポ：52ページ
リオ：53ページ
ムートン：62ページ

23

Kutusita Nyanko

靴下にゃんこ

**みんななかよし
靴下にゃんこ**

ポンとおいただけでかわいい！
手のひらサイズに編んだ
にゃんこたち。

ロッシーとシロちゃんは
肉球もチャームポイントです♪

靴下にゃんこを作れれば
シロちゃんもロッシーも
ほぼ同じ作りなので簡単です。

作り方 靴下にゃんこ・シロちゃん・ロッシー：54ページ

Mamegoma
まめゴマ

お洋服を着たまめゴマたち

メイドやうさぎの服を着た
かわいいまめゴマたち

服を着せるので
本体はしっかり編みます。

最後の仕上げ
お顔の刺しゅうは
ていねいに！

作り方 さくらゴマ・しろゴマ：56ページ

27

Sumikko gurashi
すみっコぐらし

すみっこ大好き!

すみっこにいると落ち着く
すみっコぐらしたち
編めたら……
すみっこにおいてあげましょう。

作り方 ぺんぎん?・ねこ・しろくま・とんかつ：58ページ

1段1段
ゆっくり、ていねいに
編んでいきましょう！

ぺんぎん？　　ねこ　　しろくま　　とんかつ

Tarepanda
たれぱんだ

うつぶせ

あみぐるみでもたれています。
ほっこりかわいい体型
そのままに編みましょう。

どこにおいても
なごむから不思議……

作り方 たれぱんだ：60ページ

31

さあ、作りましょう！

ひと針ひと針
ゆっくりていねいに
編みましょう。

あみぐるみは
1本の糸から
できています。

編むだけで
いろいろな形ができ
つなげていくと……
かわいいキャラたちが
あらわれます。

できあがるのを楽しみに
楽しく編んでください。

世界でたった1つの
大好きなキャラの
あみぐるみです。

さあ、作りましょう！

P.5 キイロイトリ

[材　料] *毛糸[ハマナカボニー]：黄(432)15g、黒(402)・オレンジ(434)各適量
*綿適量
*7.5/0号かぎ針、とじ針

[ゲージ] 細編み 10cm角 16段 15目

[作り方]

1. パーツを編み、綿を入れます。

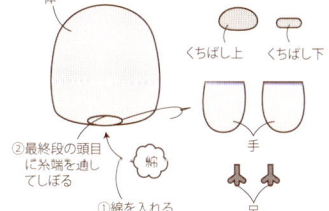

2. 体に頭の毛・くちばし・手・足をつけます。

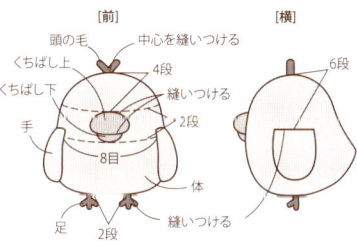

3. 顔を作り、できあがり。

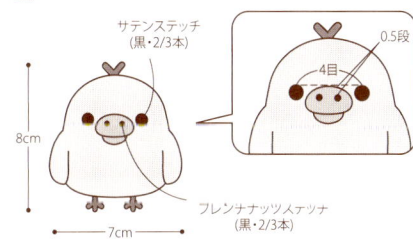

[編み図]

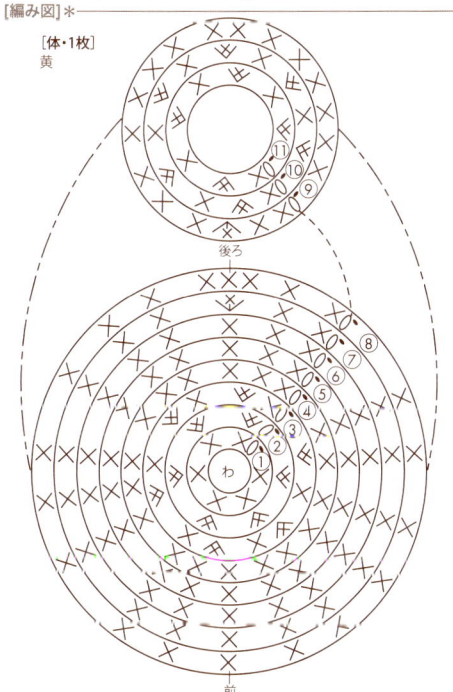

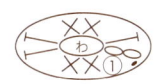
[くちばし上・1枚] オレンジ

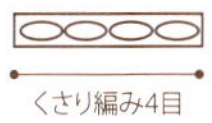

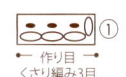
[くちばし下・1枚] オレンジ
作り目　くさり編み3目

[頭の毛・1枚] 黒
※毛糸2/3本できつめに編む
くさり編み4目

[手・2枚] 黄
作り目　くさり編み2目

手の目の増やし方		
1段め	+2目	→ 4目
作り目	くさり編み2目	

体の目の増減の仕方		
11	-4	→ 8
10	-6	→ 12
9	-2	→ 18
8	±0	→ 20
7	+2	→ 20
4-6	±0	→ 18
3	+6	→ 18
2	+6目	→ 12目
1段め	わの中に細編み6目	

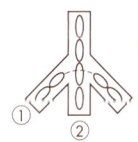
[足・2枚] 黒
※毛糸2/3本できつめに編む
※②のくさり編みを編む時①のくさり編みをはさみながら編む

この本で使われている刺しゅうの仕方

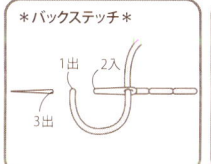
バックステッチ

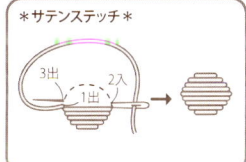
サテンステッチ

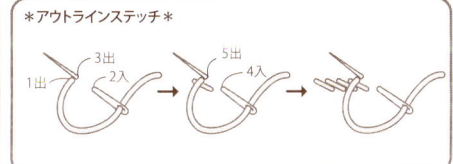
アウトラインステッチ

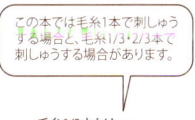
この本では毛糸1本で刺しゅうする場合と、毛糸1/3・2/3本で刺しゅうする場合があります。

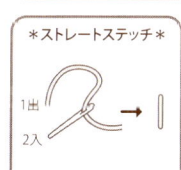
ストレートステッチ

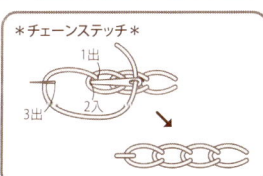
チェーンステッチ

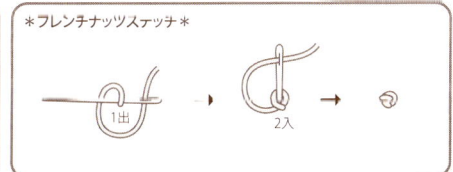
フレンチナッツステッチ

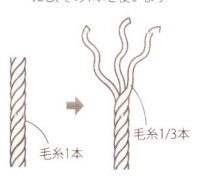
毛糸1/3本とは・・・
毛糸のよりをほどいて3本にし、その1本を使います

P.4 リラックマ(お座りポーズ)

[材 料] *毛糸[ハマナカボニー]:茶(482)55g、やまぶき(433)・白(401)各5g、こげ茶(419)・黒(402)各適量
*綿適量
*7.5/0号かぎ針、とじ針

[ゲージ] 細編み 10cm角 16段 15目

[作り方]

1 パーツを編み、綿を入れます。

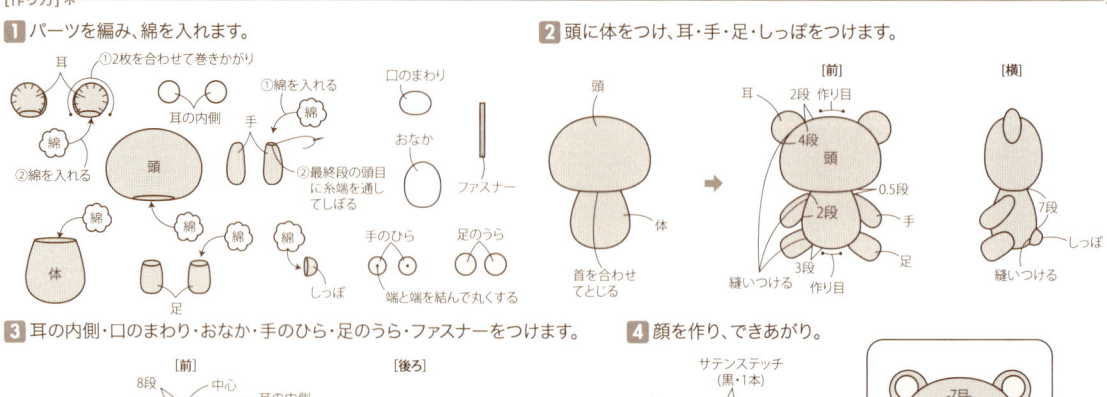

2 頭に体をつけ、耳・手・足・しっぽをつけます。

3 耳の内側・口のまわり・おなか・手のひら・足のうら・ファスナーをつけます。

4 顔を作り、できあがり。

[編み図]

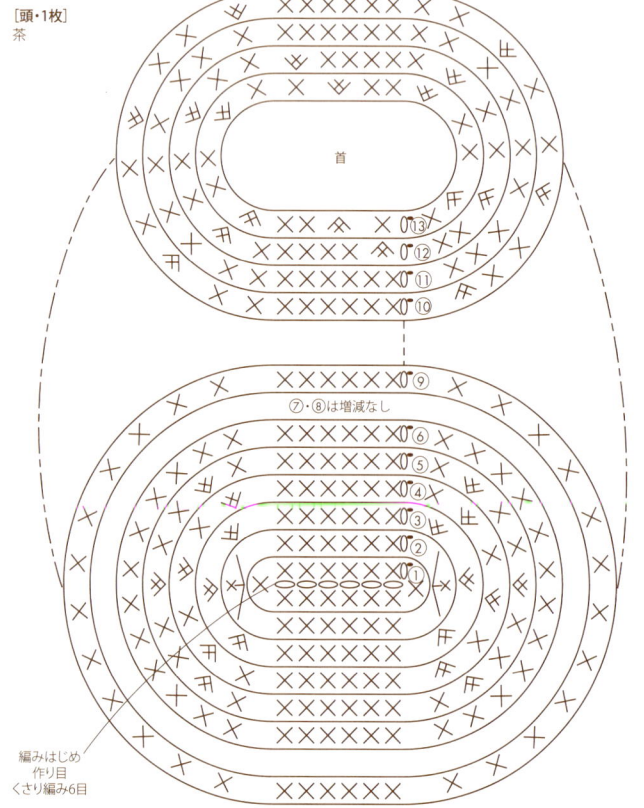

[耳・4枚] 茶

耳の目の増やし方		
2	+4目	→14目
1段め	わの中に細編み10目	

[耳の内側・2枚] やまぶき

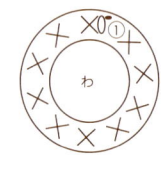

頭の目の増減の仕方		
13	−6	→18
12	−6	→24
11	±0	→30
10	−6	→30
6〜9	±0	→36
5	+6	→36
4	+6	→30
3	+6	→24
2	+4	→18
1段め	+8目	→14目
作り目	くさり編み6目	

[体・1枚]
茶

[口のまわり・1枚]
白

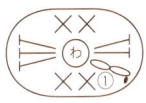

[おなか・1枚]
白

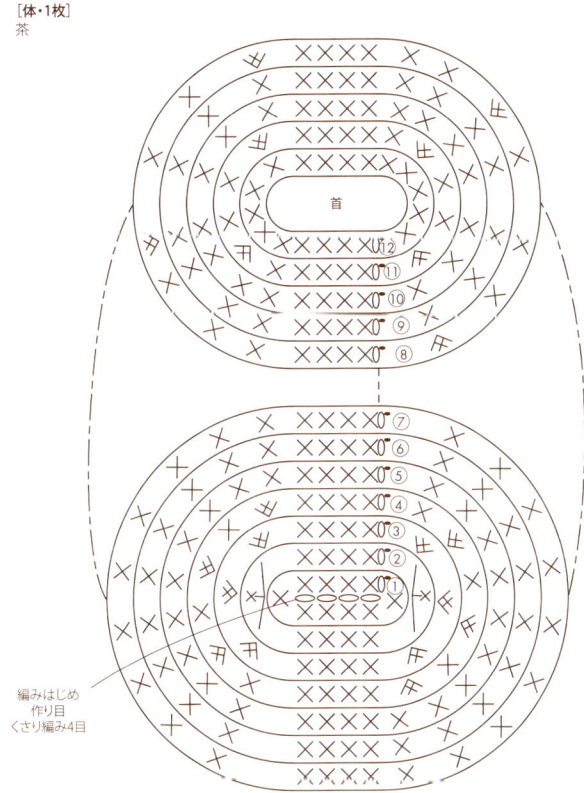

おなかの目の増やし方		
3	+4	→18
2	+6	→14
1段め	+5目	→8目
作り目	くさり編み3目	

体の目の増減の仕方		
12	±0	→18
11	−4	→18
9〜10	±0	→22
8	−4	→22
5〜7	±0	→26
4	+6	→26
3	+6	→20
2	+4	→14
1段め	+6	→10目
作り目	くさり編み4目	

[ファスナー・1枚]
こげ茶

← くさり編み7目 →

[手・2枚]
茶

[足・2枚]
茶

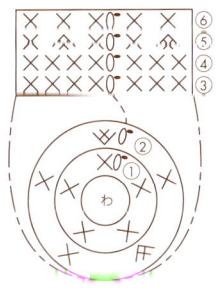

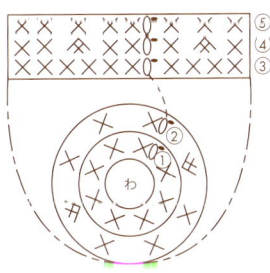

手の目の増減の仕方		
6	±0	→5
5	−2	→5
3・4	±0	→7
2	+2目	→7目
1段め	わの中に細編み5目	

足の目の増減の仕方		
5	±0	→8
4	−2	→8
3	±0	→10
2	+2目	→10
1段め	わの中に細編み8目	

[手のひら・2枚]
やまぶき

[足のうら・2枚]
やまぶき

[しっぽ・1枚]
茶

← くさり編み5目 →

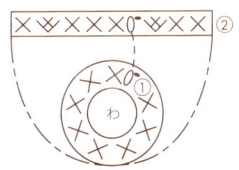

しっぽの目の増やし方		
2	+2目	→10目
1段め	わの中に細編み8目	

P.5 コリラックマ(お座りポーズ)

[材 料] ＊毛糸[ハマナカボニー]：ベージュ(406)40g、ピンク(465)・白(401)各5g、赤(429)・黒(402)各適量
＊綿適量
＊7.5/0号かぎ針、とじ針

[ゲージ] 細編み 10cm角 16段 15目

[作り方]

1 パーツを編み、綿を入れます。

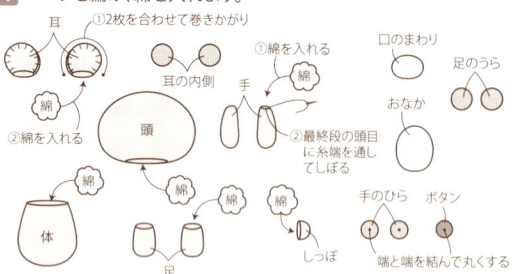

2 頭に体をつけ、耳・手・足・しっぽをつけます。

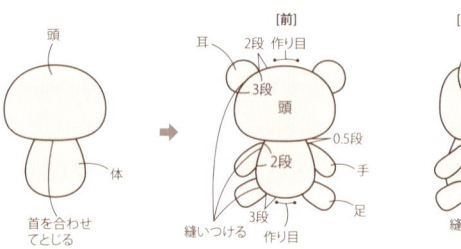

3 耳の内側・口のまわり・おなか・手のひら・足のうらをつけます。

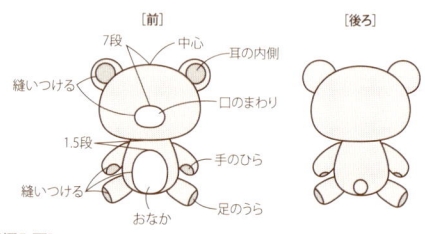

4 顔を作り、ボタンをつけ、できあがり。

[編み図]

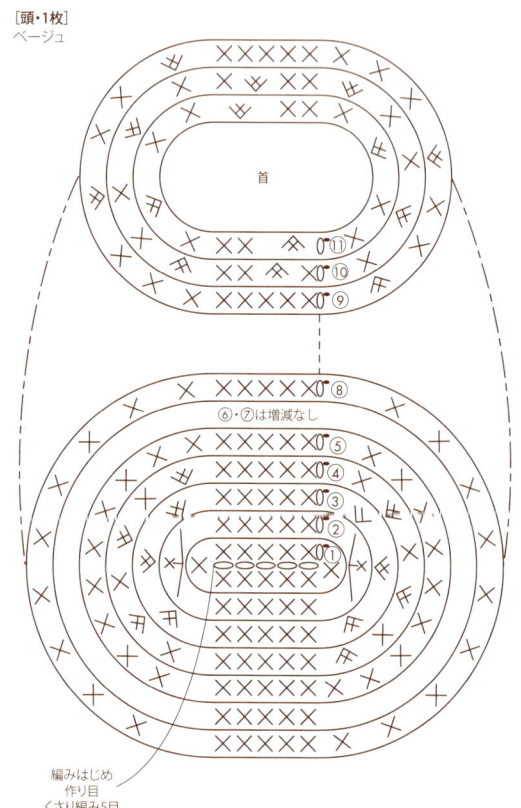

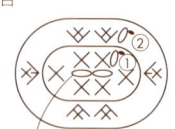

耳の目の増やし方		
2	+5目	→ 11目
1段め	わの中に細編み6目	

おなかの目の増やし方		
2	+8	→ 14
1段め	+4目	→ 6目
作り目	くさり編み2目	

頭の目の増減の仕方		
11	−4	→ 14
10	−6	→ 18
9	−4	→ 24
5～8	±0	→ 28
4	+6	→ 28
3	+6	→ 22
2	+4	→ 16
1段め	+7目	→ 12目
作り目	くさり編み5目	

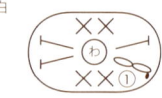

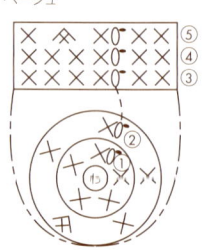

手の目の増減の仕方		
5	−1	→ 5
3～4	±0	→ 6
2	+1目	→ 6目
1段め	わの中に細編み5目	

[手のひら・2枚] ピンク

← くさり編み4目

[体・1枚] ベージュ

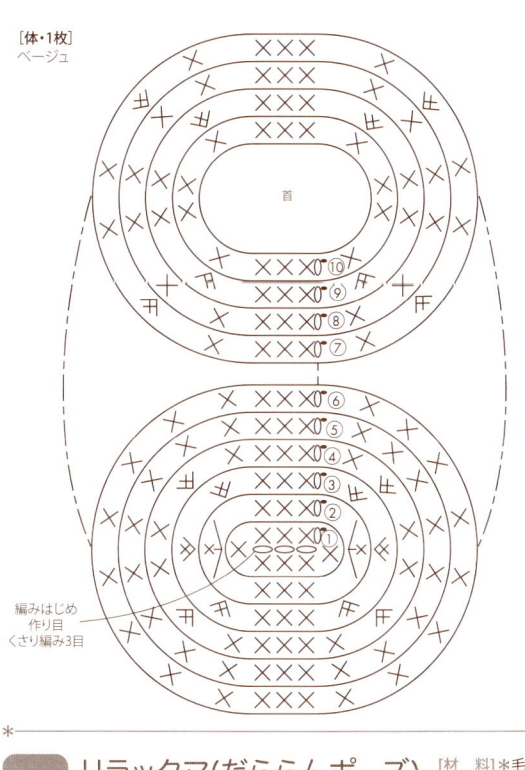

[足・2枚] ベージュ

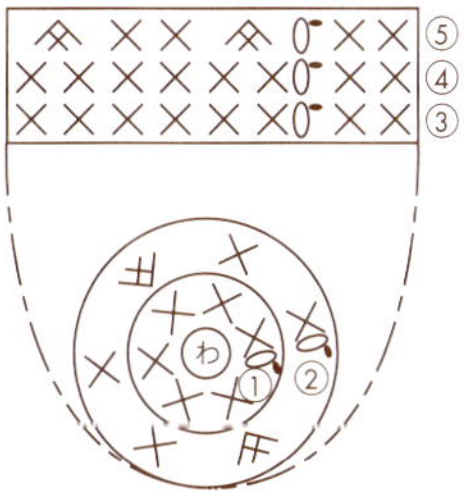

[しっぽ・1枚] ベージュ

足の目の増減の仕方		
5	−2	→ 6
3〜4	±0	→ 8
2	+2目	→ 8目
1段め	わの中に細編み6目	

しっぽの目の増やし方		
2	+2目	→ 8目
1段め	わの中に細編み6目	

[足のうら・2枚] ピンク

[ボタン・1枚] 赤

← くさり編み5目 →

編みはじめ
作り目
くさり編み3目

体の目の増減の仕方		
10	±0	→ 14
9	−4	→ 14
8	±0	→ 18
7	−4	→ 18
5〜6	±0	→ 22
4	+4	→ 22
3	+6	→ 18
2	+4	→ 12
1段め	+5目	→ 8目
作り目	くさり編み3目	

P.7 **リラックマ(だららんポーズ)**

[材 料] *毛糸[ハマナカボニー]:茶(482)50g、黄(432)10g、やまぶき(433)・白(401)各5g、こげ茶(419)・黒(402)各適量
*綿適量
*7.5/0号かぎ針、とじ針

[ゲージ] 細編み 10cm角 16段 15目

[作り方] ※編み図は①ページ

1 リラックマのパーツを編み、綿を入れます。

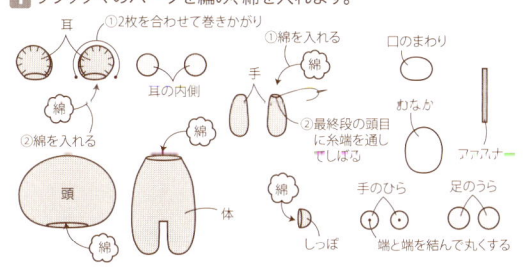

2 頭に体をつけ、耳・手・しっぽをつけます。

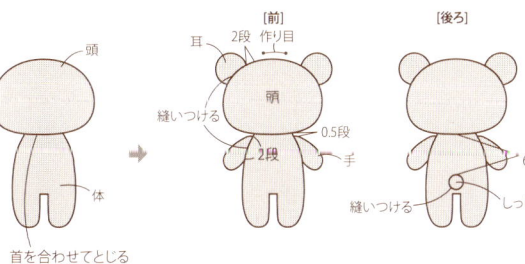

3 耳の内側・口のまわり・おなか・手のひら・足のうら・ファスナーをつけます。

4 顔を作ります。

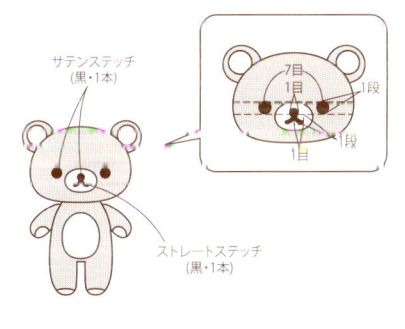

5 クッションを作り、リラックマと組み合わせて、できあがり。

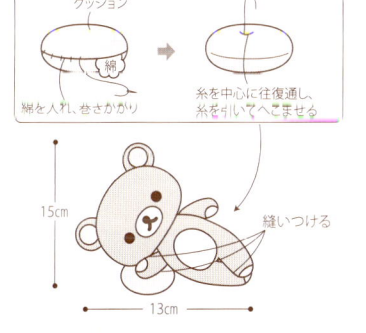

37

P.10 リラックマ(うさぎ) &いちご

[材　料] *毛糸[ハマナカボニー]：リラックマ(34ページと同じ)
クリーム(478)30g、濃いピンク(474)・濃いきみどり(476)各5g、薄いピンク(479)適量
*綿適量　*スプリングホック[#01]1組
*7.5/0号かぎ針、とじ針

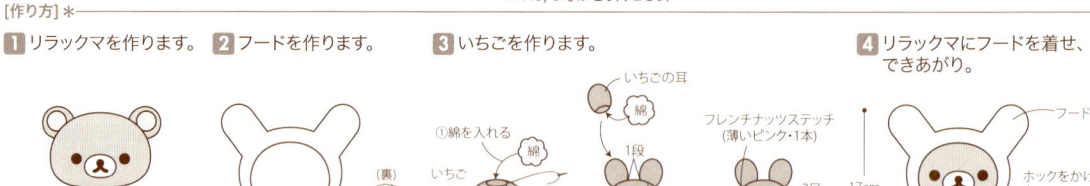

[ゲージ]
細編み 10cm角　16段／15目

[作り方]

1. リラックマを作ります。
※34ページと同じ

2. フードを作ります。
(裏) スプリングホック 縫いつける

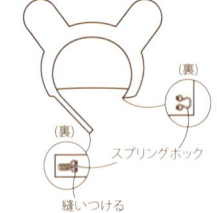

3. いちごを作ります。
①綿を入れる
②最終段の頭目に糸端を通してしぼる
いちご / いちごの耳 / 綿
1段 → 縫いつける → フレンチナッツステッチ(薄いピンク・1本)
2目 / 1目 / 1段 / 2段

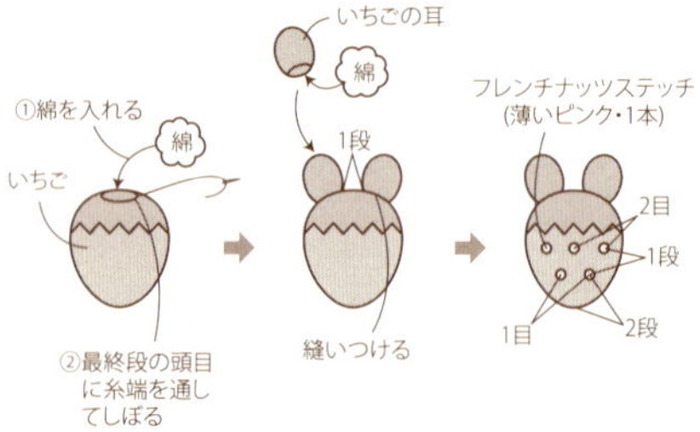

4. リラックマにフードを着せ、できあがり。
フード / ホックをかける
17cm / 16.5cm / 5cm / 3cm

[編み図]

[フード・1枚] クリーム
・本体・
編みはじめ　作り目　くさり編み8目
16目
★印は糸をつける
① ② ③ ④ ⑤ ⑥ ⑦ ⑧ ⑨ ⑩ ⑪ ⑫
17目 16目 14目 28目 31目 32目 計26目 36目
⑬ ⑭
40目

・耳・
★に糸をつける
本体から16目拾う
① 16目　② ③ ④ ⑤ 14目　⑥ 12目　⑦ 10目　⑧

フードの編み進め方
①耳を編む
本体を編む
16目　16目
16目拾う
②最終段の頭目に糸端を通してしぼる

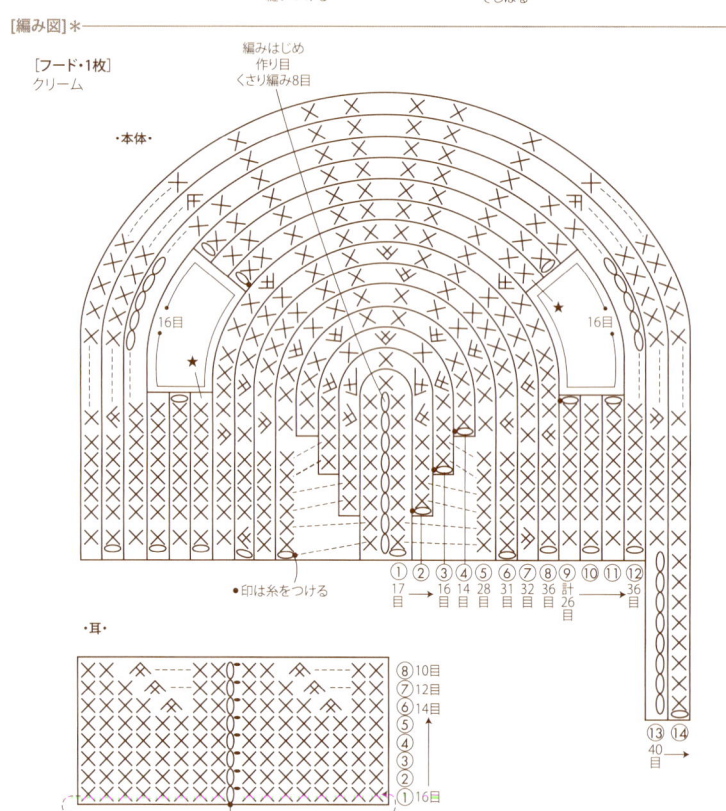

[いちご・1枚] 濃いピンク・濃いきみどり
□…濃いピンク　□…濃いきみどり
色かえ

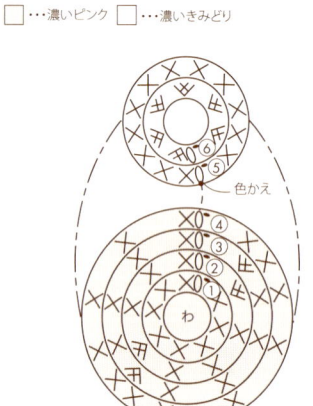

いちごの目の増減の仕方		
6	−6	→6
4・5	±0	→12
3	+2	→12
2	+2目	→10目
1段め	わの中に細編み8目	

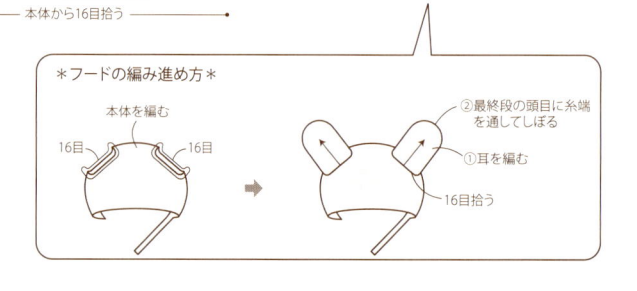

[いちごの耳・2枚] 濃いきみどり

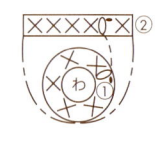

P.10 コリラックマ(うさぎ)

[材　料]＊毛糸[ハマナカボニー]：コリラックマ(36ページと同じ)
薄いピンク(479)20g
＊綿適量　＊スプリングホック[♯01]1組
＊7.5/0号かぎ針、とじ針

[ゲージ]
細編み
10cm角　16段　15目

[作り方]＊

1 コリラックマを作ります。

※36ページと同じ

2 フードを作ります。

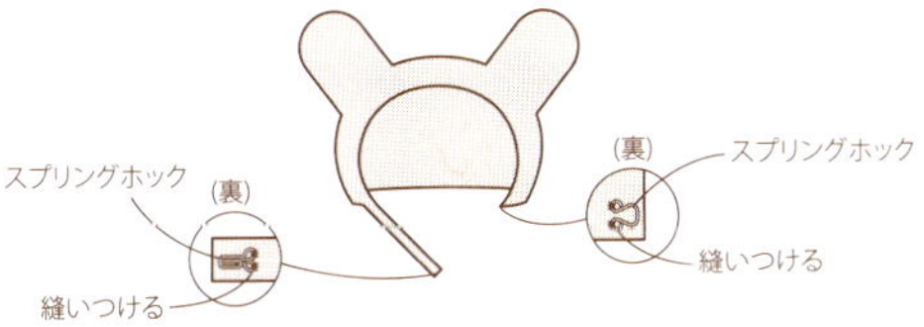

3 コリラックマにフードを着せ、できあがり。

[編み図]＊

[フード・1枚]
薄いピンク

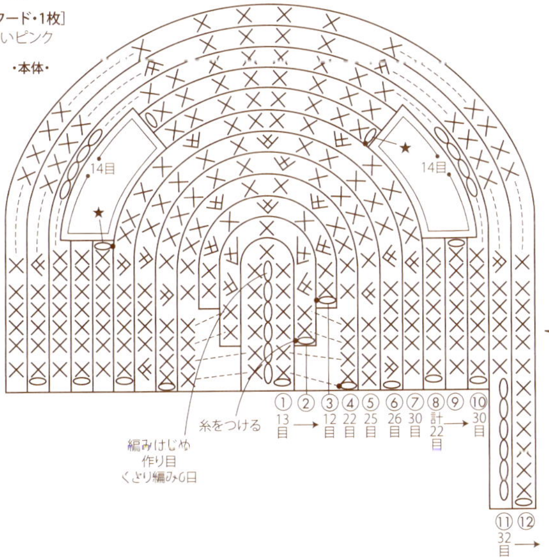

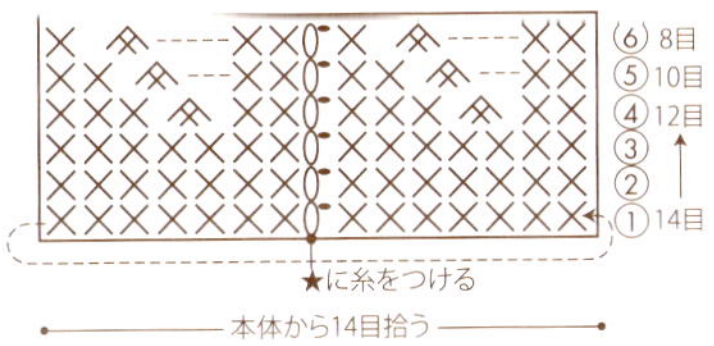

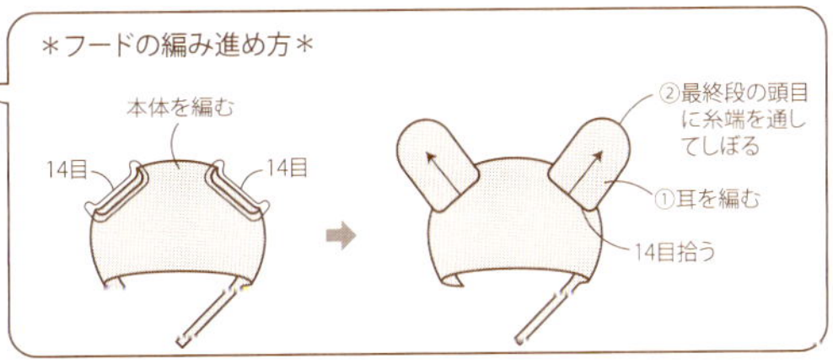

P.7 リラックマ(だららんポーズ)

[編み図]＊ ※耳・耳の内側・頭・口のまわり・手・手のひら・おなか・しっぽの編み図は34ページ、リラックマ(お座りポーズ)と同じ

[体・1枚]
茶

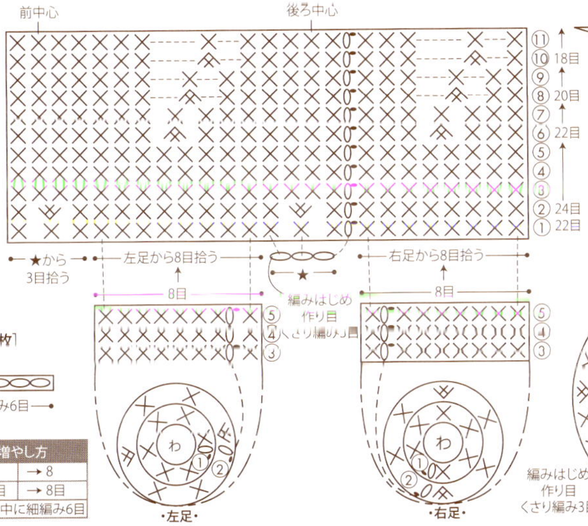

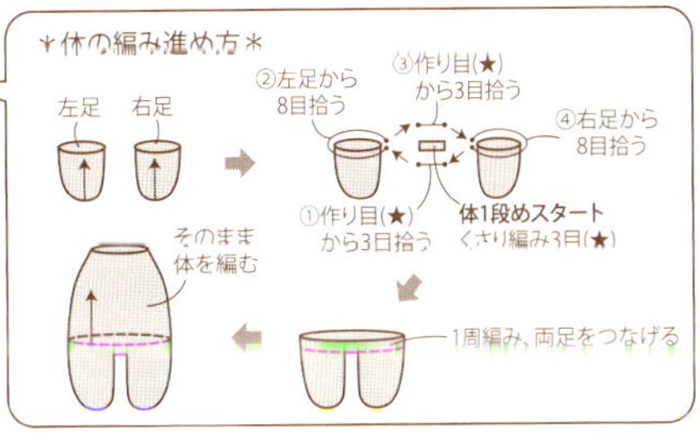

[ファスナー・1枚]
こげ茶

足の目の増やし方		
3~5	±0	→8
2	+2目	→8目
1段め	わの中に細編み6目	

[クッション・2枚]
黄

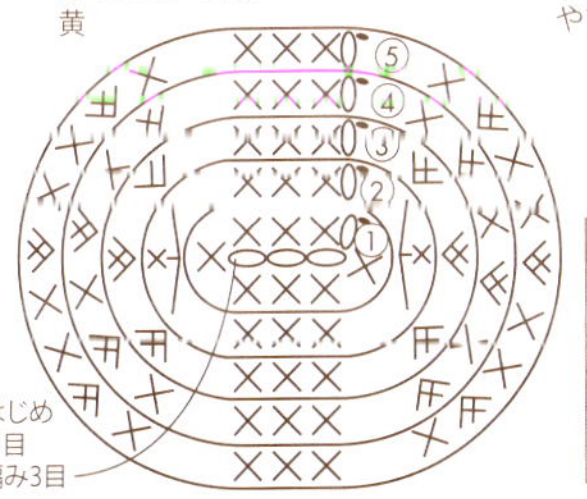

[足のうら・2枚]
やまぶき

クッションの目の増やし方		
5	+6	→30
4	+6	→24
3	+6	→18
2	+4	→12
1段め	+5目	→8目
作り目	くさり編み3目	

P.12 リラックマ(ハニー&スマイル)

[材　料] *毛糸[ハマナカボニー]:リラックマ(34ページと同じ)
黄(416)20g、こげ茶(419)15g、水色(439)5g、
薄茶(418)適量
*7.5/0号かぎ針、とじ針

[ゲージ] 細編み 10cm角 16段 15目

[作り方]

1 リラックマを作ります。
※34ページと同じ

2 パーツを作ります。
縫いつける / 4目 / 触覚 / 縫いつける / 帽子
A / B / 最終段の頭目に糸端を通してしぼる
パンツ / 羽 / スプーン

3 リラックマに帽子・パンツを着せ、羽・スプーンをつけて、できあがり。
[前] スプーン / 帽子 / 縫いつける / パンツ / 17cm / 13cm
[後ろ] 羽 / 縫いつける

[編み図]

[帽子・1枚]
黄・こげ茶　□…黄　■…こげ茶
前中心 / 後ろ中心 / 糸をつける / 色かえ / 編みはじめ 作り目 くさり編み7目

帽子の目の増やし方		
7	+8	→38
6	+4	→30
5	±0	→26
4	+4	→26
3	±0	→22
2	+4	→22
1段め	+11目	→18目
作り目	くさり編み7目	

[羽・2枚]
水色
編みはじめ 作り目 くさり編み4目

羽の目の増やし方		
1段め	+8目	→12目
作り目	くさり編み4目	

[スプーン・1枚]
薄茶
※毛糸2/3本できつめに編む
作り目 くさり編み7目

[触覚A・2枚]
黄
※毛糸1/3本できつめに編む
わ ①

[触覚B・2枚]
こげ茶
※毛糸2/3本できつめに編む
くさり編み3目

足ぐりの糸の色の替え方

① ひとつ手前の目で糸を替えます。細編みの最後の引き抜きで次の色の糸を針にかけます。
② そのまま引き抜き、色が替わりました。
③ 変えた糸で細編みを編みます。
④ 必要な目数編み、最後の引き抜きで次の色の糸を針にかけます。

[パンツ・1枚]
黄・こげ茶　□…黄　■…こげ茶

・足ぐり・　※色をかえながら1周編む
×に糸をつける　本体❤から16目拾う

・本体・
前中心 / 後ろ中心 / 色かえ

パンツの目の増減の仕方		
10	±0	→26
9	-4	→26
8	+6	→30
7	±0	→24
6	+4	→24
5	±0	→20
4	-4	→20
3	+8	→16
2	+8目	→16目
1段め	わの中に細編み8目	

パンツの編み進め方
本体を編む → 16目拾う → 足ぐりを編む

P.12 コリラックマ(ハニー&スマイル)

[材 料] *毛糸[ハマナカボニー]：コリラックマ(36ページと同じ)
黄(416)20g、オフ白(442)・こげ茶(419)各10g、
水色(439)5g、薄茶(418)適量
*スプリングホック[#01]1組
*7.5/0号かぎ針、とじ針

[ゲージ] 細編み 10cm角 16段 15目

[作り方]

1 コリラックマを作ります。
※36ページと同じ

2 パーツを作ります。
- フード：4目、触覚、縫いつける、A、B、縫いつける
- スプリングホック、縫いつける
- くさり編み18目を先に巻きつける
- パンツ、羽、スプーン、2つ折り、フードのふち

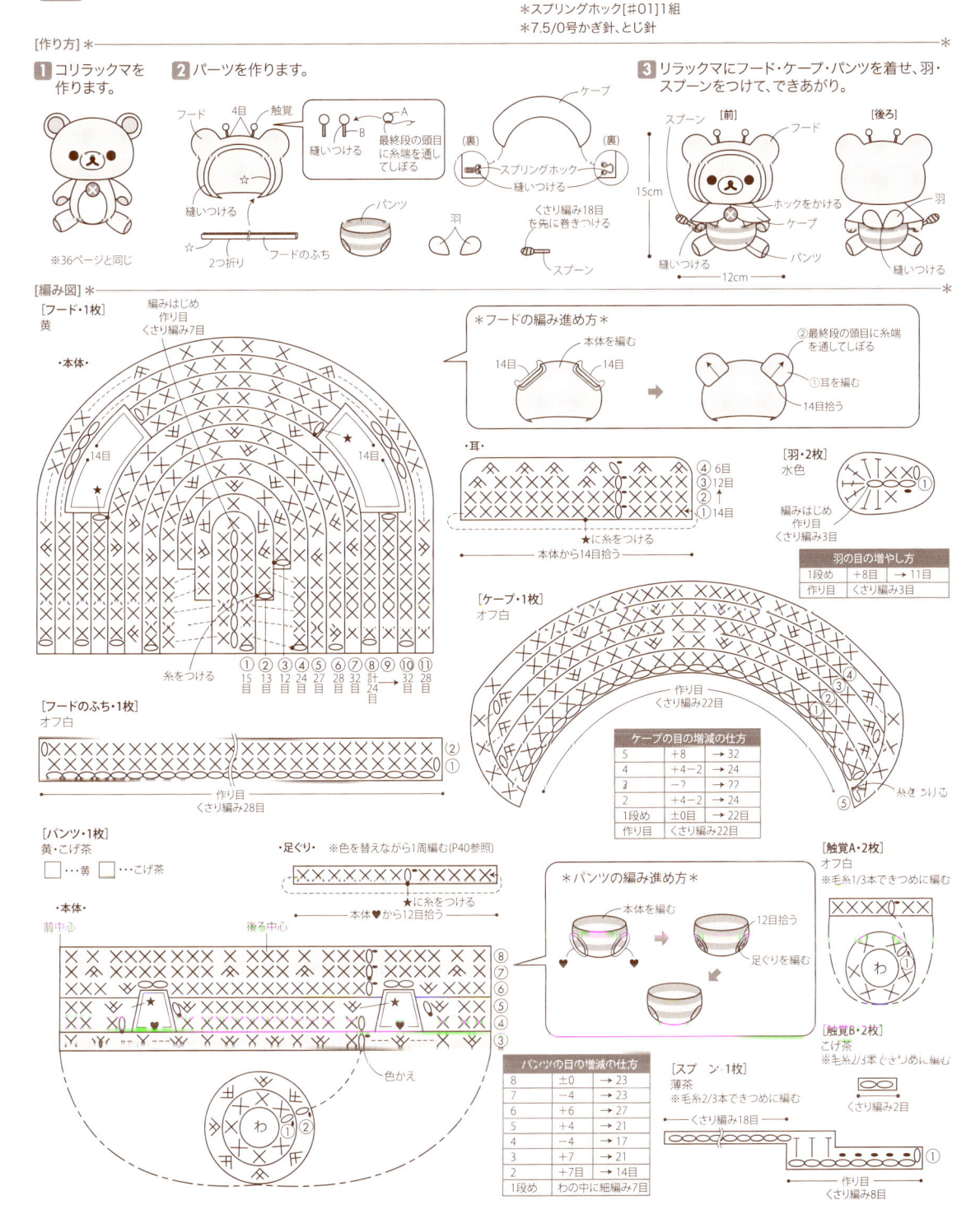

3 リラックマにフード・ケープ・パンツを着せ、羽・スプーンをつけて、できあがり。
[前] スプーン、フード、ホックをかける、ケープ、パンツ、縫いつける、15cm、12cm
[後ろ] フード、羽、縫いつける

[編み図]

[フード・1枚] 黄
・本体・
編みはじめ 作り目 くさり編み7目
14目、14目
糸をつける
① 15 ② 13 ③ 12 ④ 24 ⑤ 27 ⑥ 28 ⑦ 32 ⑧ 32 ⑨ 計 32 ⑩ 28 ⑪ 24

フードの編み進め方
① 本体を編む
② 最終段の頭目に糸端を通してしぼる
③ 耳を編む
14目、14目、14目拾う

[フードのふち・1枚] オフ白
作り目 くさり編み28目

[耳・]
本体から14目拾う
① 14目 ② ③ 12目 ④ 6目

[羽・2枚] 水色
編みはじめ 作り目 くさり編み3目

羽の目の増やし方		
1段め	+8目	→11目
作り目	くさり編み3目	

[ケープ・1枚] オフ白
作り目 くさり編み22目
糸をつける

ケープの目の増減の仕方		
5	+8	→32
4	+4-2	→24
3	-2	→22
2	+4-2	→24
1段め	±0目	→22
作り目	くさり編み22目	

[パンツ・1枚] 黄・こげ茶
□…黄　□…こげ茶
・本体・
前中心、後ろ中心
色かえ

・足ぐり・ ※色を替えながら1周編む(P40参照)
★に糸をつける
本体♥から12目拾う

パンツの編み進め方
本体を編む → 12目拾う → 足ぐりを編む

パンツの目の増減の仕方		
8	±0	→23
7	-4	→23
6	+6	→27
5	+4	→21
4	±0	→21
3	+7	→21
2	+7目	→14
1段め	わの中に細編み7目	

[触覚A・2枚] オフ白
※毛糸1/3本できつめに編む

[触覚B・2枚] こげ茶
※毛糸1/3本できつめに編む
くさり編み2目

[スプーン・1枚] 薄茶
※毛糸2/3本できつめに編む
くさり編み18目
作り目 くさり編み8目

41

P.12 キイロイトリ(ハニー&スマイル)

[材 料] *毛糸[ハマナカボニー]:キイロイトリ(33ページと同じ)
黄(416)・こげ茶(419)各5g、水色(439)適量
*7.5/0号かぎ針、とじ針

[ゲージ] 細編み 10cm角 16段/15目

[作り方]

1 キイロイトリを作ります。 
※33ページと同じ

2 パーツを作ります。
- 触覚
- 最終段の頭目に糸端を通してしぼる
- パンツ
- 羽

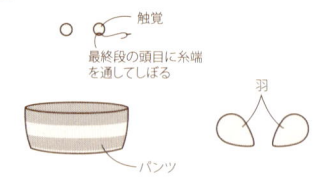

3 キイロイトリにパンツを着せ、触覚・羽をつけて、できあがり。

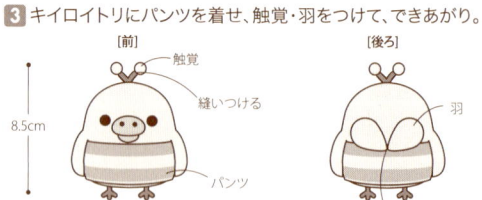

[前] 触覚・縫いつける・パンツ 8.5cm 8cm
[後ろ] 羽・縫いつける

[編み図]

[パンツ・1枚] 黄・こげ茶 □…黄 □…こげ茶
色かえ 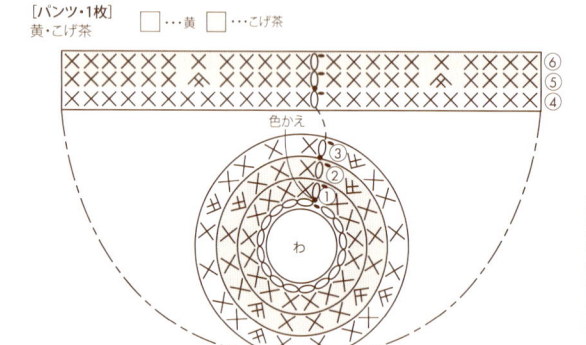

[羽・2枚] 水色
編みはじめ 作り目 くさり編み3目

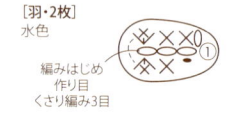

羽の目の増やし方		
1段目	+7目	→10目
作り目	くさり編み3目	

パンツの目の増減の仕方		
6	±0	→22
5	−2	→22
4	±0	→24
3	+4	→24
2	+4	→20
1段目	±0	→16目
作り目	くさり編み16目	

[触覚・2枚] 黄
※毛糸1/3本でこつめに編む

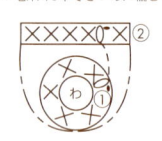

P.13 ホットケーキ

[材 料] *毛糸[ハマナカボニー]:クリーム(478)5g、白(401)・茶(482)・オフ白(442)・こげ茶(419)・赤(429)・濃いきみどり(476)各適量
*綿適量 *7.5/0号かぎ針、とじ針

[ゲージ] 細編み 10cm角 16段/15目

[作り方]

1 パーツを編み、綿を入れます。
- お皿
- いちごのへた
- 最終段の頭目に糸端を通してしぼる
- いちご
- トッピング
- 小ホットケーキ
- クリーム
- ②最終段の頭目に糸端を通してしぼる
- ①綿を入れる・綿

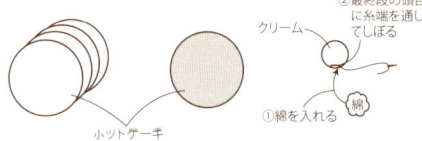

2 パーツを組み合わせて、できあがり。
- ホットケーキ
- まん中で縫いとめる
- いちごのへた・縫いつける
- いちご
- クリーム
- 縫いつける
- トッピング
- お皿
- 5cm / 5cm

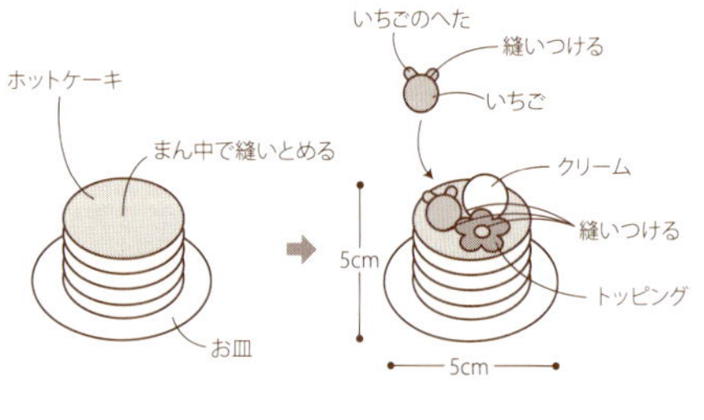

[編み図]

[お皿・1枚] 白

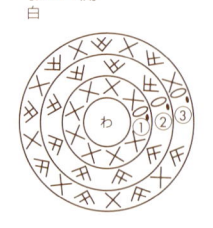

[クリーム・1枚] オフ白
※毛糸1/3本でこつめに編む

[トッピング・1枚] こげ茶
※毛糸1/3本でこつめに編む 
最初のくさり編みのわを束ですくい、引き抜く

お皿の目の増やし方		
3	+8	→24
2	+8目	→16目
1段目	わの中に細編み8目	

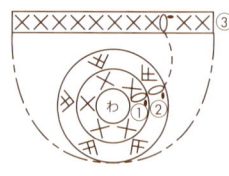

クリームの目の増やし方		
3	±0	→10
2	+5目	→10目
1段目	わの中に細編み5目	

[ホットケーキ・5枚]
クリーム 4枚
薄茶 1枚

[いちご・1枚] 赤
※毛糸1/3本でこつめに編む

[いちごのへた・1枚] 濃いきみどり
※毛糸1/3本でこつめに編む
編みはじめ

ホットケーキの目の増やし方		
2	+8目	→16目
1段目	わの中に細編み8目	

いちごの目の増やし方		
2	+3目	→8目
1段目	わの中に細編み5目	

P.14 リラックマ(たまご)＆コリラックマ＆キイロイトリ

[材料] ＊毛糸[ハマナカボニー]：リラックマ(34ページと同じ)
コリラックマ(36ページと同じ)
キイロイトリ(33ページと同じ)
オフ白(442) A20g、B15g、C10g
＊7.5/0号かぎ針、とじ針

[ゲージ] 細編み 10cm角 14段 13目

[作り方]

1. たまごを編み、組み合わせて、できあがり。

[リラックマ] ※34ページと同じ 8cm ─ 9.5cm ─ A

[コリラックマ] ※36ページと同じ 6.5cm ─ 7.5cm ─ B

[キイロイトリ] ※33ページと同じ 4.5cm ─ 6.5cm ─ C

[編み図]

[A リラックマのたまご・1枚] オフ白 糸をつける

[B コリラックマのたまご・1枚] オフ白 糸をつける

[C キイロイトリのたまご・1枚] オフ白 糸をつける

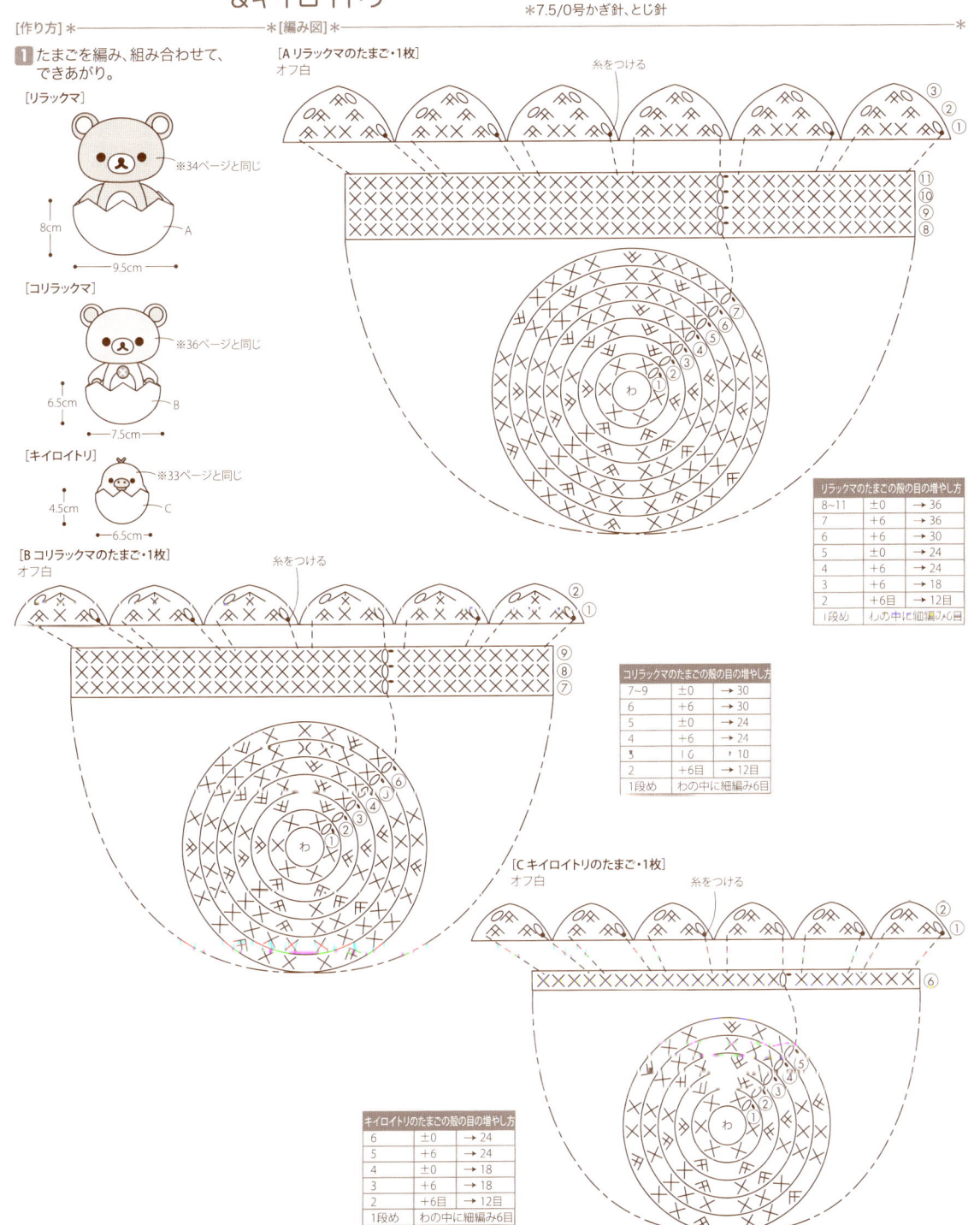

リラックマのたまごの殻の目の増やし方

8〜11	±0	→ 36
7	+6	→ 36
6	+6	→ 30
5	±0	→ 24
4	+6	→ 24
3	+6	→ 18
2	+6目	→ 12目
1段め	わの中に細編み6目	

コリラックマのたまごの殻の目の増やし方

7〜9	±0	→ 30
6	+6	→ 30
5	±0	→ 24
4	+6	→ 24
3	+6	→ 18
2	+6目	→ 12目
1段め	わの中に細編み6目	

キイロイトリのたまごの殻の目の増やし方

6	±0	→ 24
5	+6	→ 24
4	±0	→ 18
3	+6	→ 18
2	+6目	→ 12目
1段め	わの中に細編み6目	

43

P.14 目玉焼きトースト

[材 料] *毛糸[ハマナカボニー]：クリーム(478)・茶(482)各5g、白(401)・やまぶき(433)各適量
*綿適量　*厚紙 5cm×5cm
*7.5/0号かぎ針、とじ針

[ゲージ] 細編み 10cm角 14段 13目

[作り方]

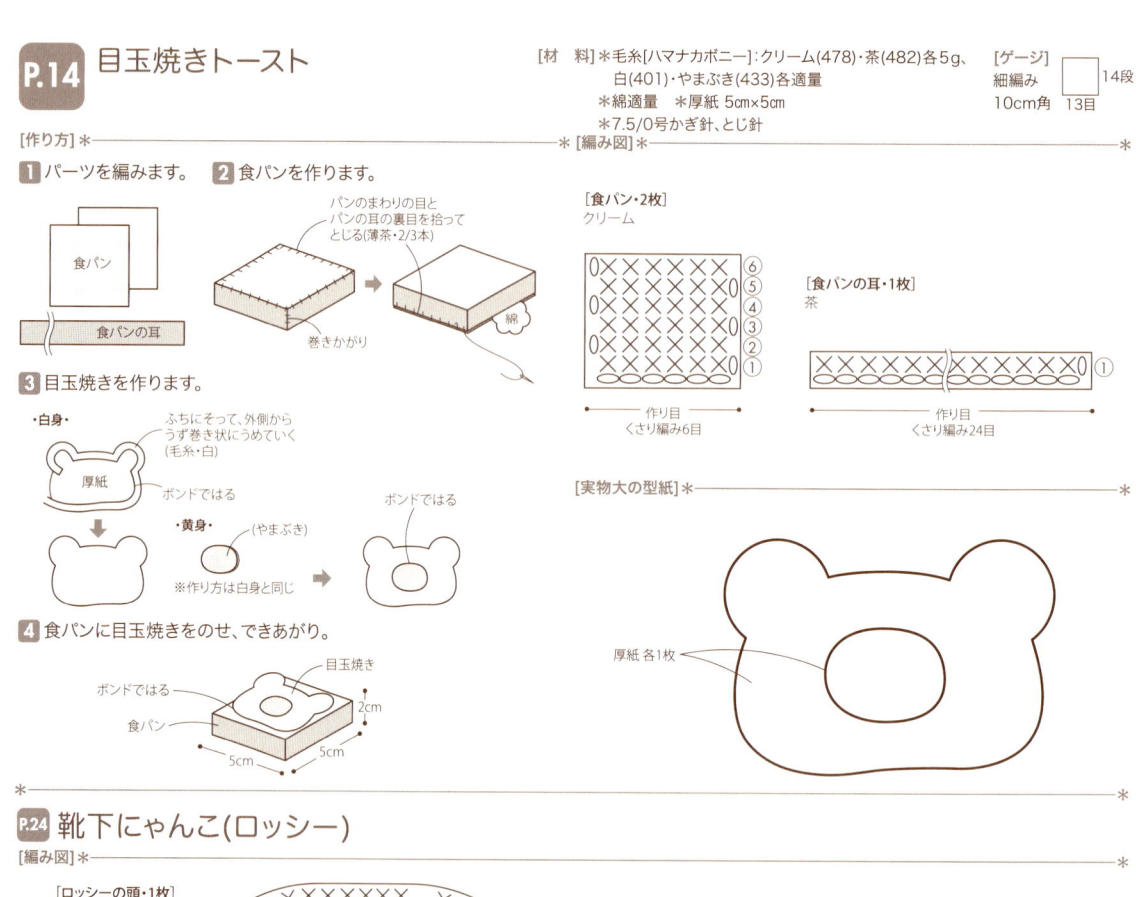

1. パーツを編みます。
2. 食パンを作ります。
   - パンのまわりの目とパンの耳の裏目を拾ってとじる(薄茶・2/3本)
   - 巻きかがり
3. 目玉焼きを作ります。
   - ・白身・　厚紙　ボンドではる
   - ふちにそって、外側からうず巻き状にうめていく(毛糸・白)
   - ・黄身・(やまぶき)　※作り方は白身と同じ
   - ボンドではる
4. 食パンに目玉焼きをのせ、できあがり。
   - 目玉焼き　食パン　ボンドではる　2cm　5cm　5cm

[編み図]

[食パン・2枚] クリーム — 作り目 くさり編み6目

[食パンの耳・1枚] 茶 — 作り目 くさり編み24目

[実物大の型紙]

厚紙 各1枚

P.24 靴下にゃんこ(ロッシー)

[編み図]

[ロッシーの頭・1枚] グレー
首
編みはじめ 作り目 くさり編み5目

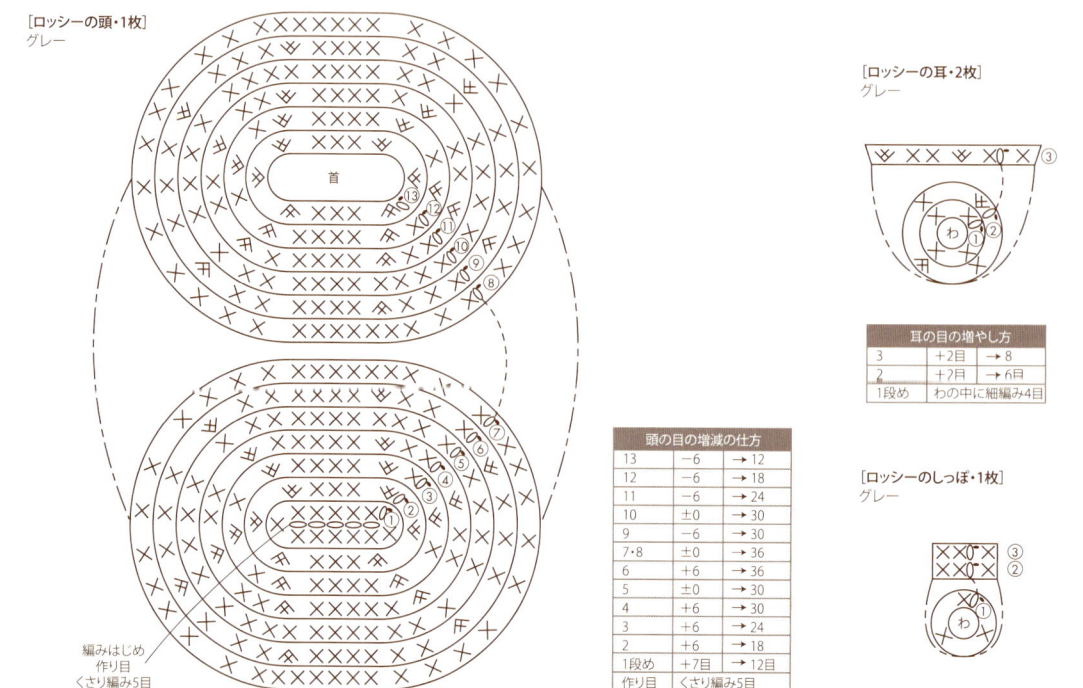

[ロッシーの耳・2枚] グレー

耳の目の増やし方		
3	+2目	→8
2	+7目	→6目
1段め	わの中に細編み4目	

頭の目の増減の仕方		
13	−6	→12
12	−6	→18
11	−6	→24
10	±0	→30
9	−6	→30
7・8	±0	→36
6	+6	→36
5	±0	→30
4	+6	→30
3	+6	→24
2	+6	→18
1段め	+7目	→12目
作り目	くさり編み5目	

[ロッシーのしっぽ・1枚] グレー

P.16 リラックマ(ハッピーナチュラルタイム)

[材料] *毛糸[ハマナカボニー]:リラックマ(34ページと同じ)
薄茶(418)35g、クリーム(478)・赤(429)各5g、
こげ茶(419)・濃いきみどり(476)・オフ白(442)各適量
*綿適量
*スプリングホック[#01] 1組
*7.5/0号かぎ針、とじ針

[ゲージ] 細編み 10cm角 16段 15目

[作り方]

1 リラックマを作ります。
※34ページと同じ

2 パーツを作ります。
フード / 耳の内側 / 足カバー / しっぽカバー
(裏) スプリングホック 縫いつける
りんご ①綿を入れる ②最終段の頭目に糸端を通してしぼる 綿
りんごのへた / りんごの葉

3 フードに耳の内側をつけます。
縫いつける フード 耳の内側
1段 1.5目 3段
1段
サテンステッチ (オフ白・1本)

4 リラックマにフード・足カバー・しっぽカバーを着せ、りんごをつけて、できあがり。
[前] フード ホックをかける 縫いつける 足カバー
16cm / 14.5cm
へた 葉 りんご 縫いつける
[後ろ] しっぽカバー

[編み図]

[フード・1枚] 薄茶 ・本体・
編みはじめ 作り目 くさり編み8目
16目 16目
糸をつける
① ② ③ ④ ⑤ ⑥ ⑦ ⑧ ⑨ ⑩ ⑪ ⑫
17 □ 16 14 28 31 32 36 目 26 36 目
⑬ ⑭
40目

・耳・
⑥5目
⑤10目
④13目
③
②
①16目
★に糸をつける
本体から16目拾う

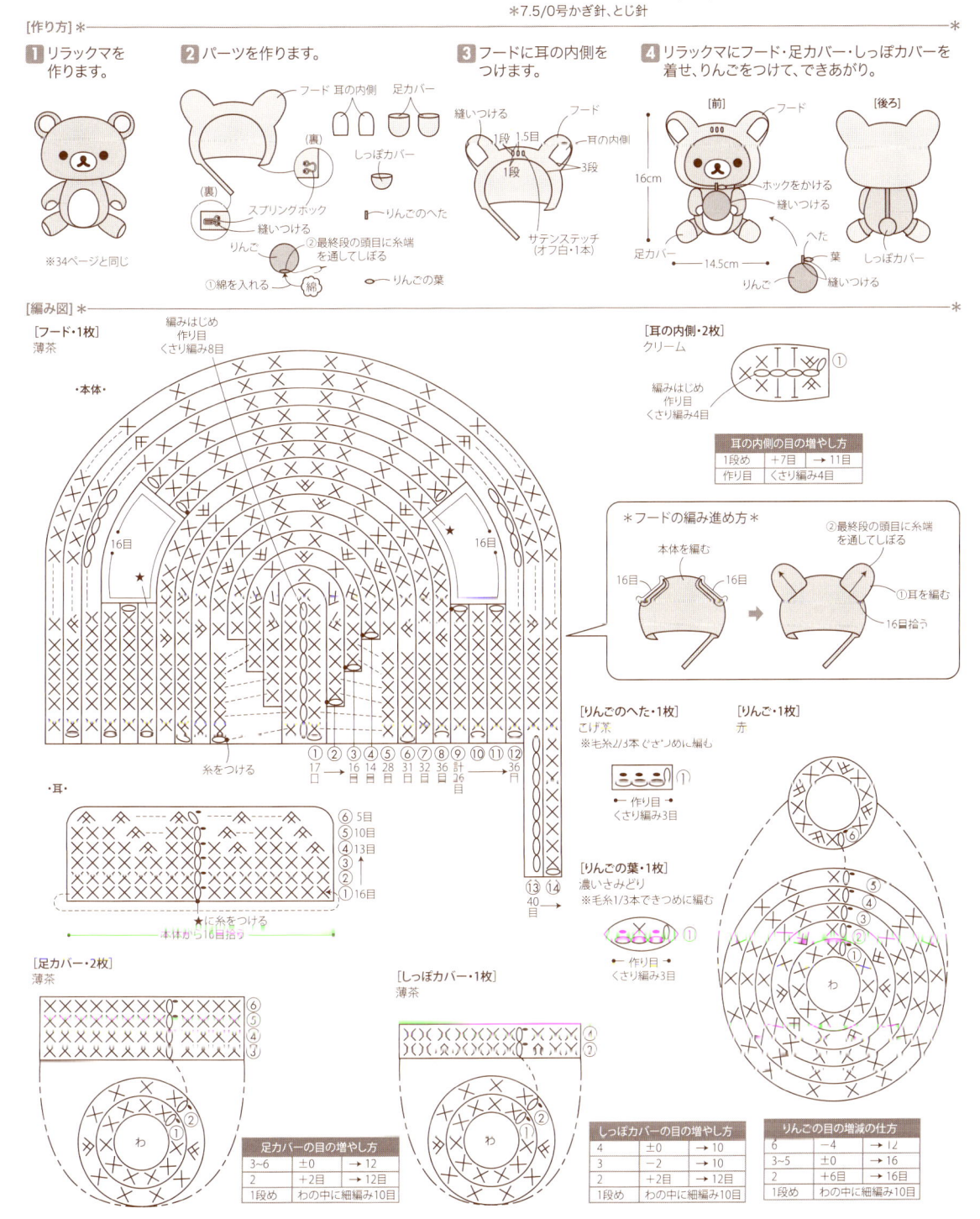

[耳の内側・2枚] クリーム
編みはじめ 作り目 くさり編み4目

耳の内側の目の増やし方
| 1段め | +7目 | →11目 |
| 作り目 | くさり編み4目 | |

フードの編み進め方
①本体を編む → ②耳を編む → ②最終段の頭目に糸端を通してしぼる
16目 16目 / 16目拾う

[りんごのへた・1枚] こげ茶
※毛糸1/3本でざざめに編む
←作り目 くさり編み3目

[りんごの葉・1枚] 濃いさみどり
※毛糸1/3本できつめに編む
←作り目

[りんご・1枚] 赤
わ

[足カバー・2枚] 薄茶
⑥ ⑤ ④ ③ ② ①
わ

[しっぽカバー・1枚] 薄茶
④ ②
わ

足カバーの目の増やし方
3〜6	±0	→12
2	+2目	→12目
1段め	わの中に細編み10目	

しっぽカバーの目の増やし方
4	±0	→10
3	−2	→10
2	+2目	→12目
1段め	わの中に細編み10目	

りんごの目の増減の仕方
6	−4	→12
3〜5	±0	→16
2	+6目	→16目
1段め	わの中に細編み10目	

P.16 コリラックマ（ハッピーナチュラルタイム）

[材料] *毛糸[ハマナカボニー]：コリラックマ(36ページと同じ)薄茶(418)30g、薄いピンク(405)・赤(429)各5g、紫(437)・濃いきみどり(476)・オフ白(442)各適量
*綿適量 *スプリングホック[#01]1組
*7.5/0号かぎ針、とじ針

[ゲージ] 細編み 10cm角 16段 15目

[作り方]

1 コリラックマを作ります。
※36ページと同じ

2 パーツを作ります。
フード
耳の内側
①綿を入れる
②最終段の頭目に糸端を通してしぼる
ブルーベリー 小 大
ブルーベリーの葉
(裏) スプリングホック 縫いつける
足カバー
しっぽカバー
りんご
①綿を入れる
②最終段の頭目に糸端を通してしぼる
りんごの葉

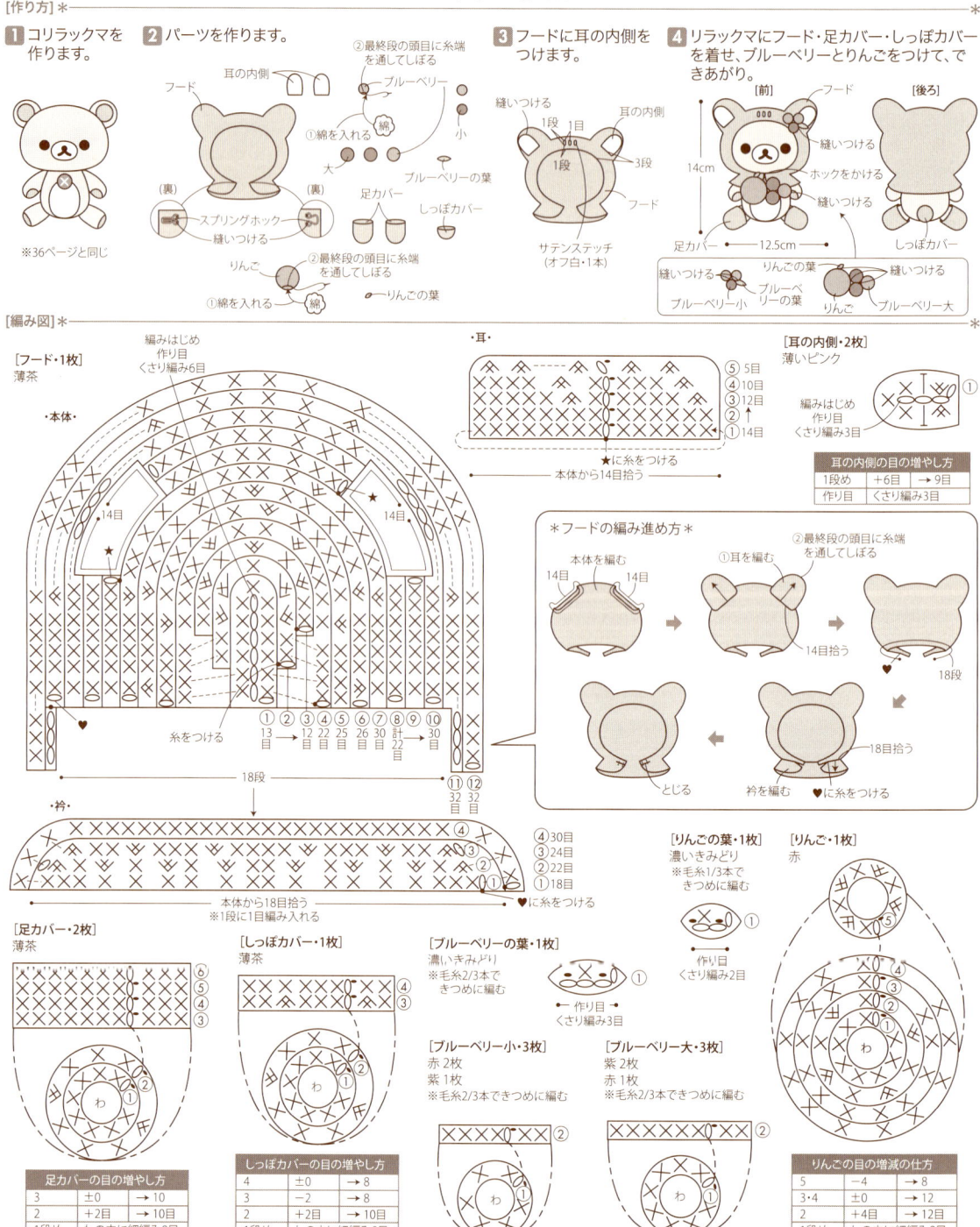

3 フードに耳の内側をつけます。
縫いつける 1段 1目
耳の内側 3段
フード
サテンステッチ（オフ白・1本）

4 リラックマにフード・足カバー・しっぽカバーを着せ、ブルーベリーとりんごをつけて、できあがり。
[前] フード 縫いつける ホックをかける 14cm 12.5cm 足カバー
[後ろ] 縫いつける しっぽカバー
縫いつける ブルーベリー小 ブルーベリーの葉 りんごの葉 りんご ブルーベリー大 縫いつける

[編み図]

[フード・1枚] 薄茶
編みはじめ 作り目 くさり編み6目
本体
14目 14目
★に糸をつける
本体から14目拾う
①②③④⑤⑥⑦⑧⑨⑩ 計
13 12 22 25 26 30 30 22 30目
目 目 目 目 目 目 目 目 目
⑪⑫ 32 32目
18段

・耳・
⑤5目
④10目
③12目
②14目
①14目

[耳の内側・2枚] 薄いピンク
編みはじめ 作り目 くさり編み3目

耳の内側の目の増やし方
| 1段め | +6目 | → 9目 |
| 作り目 | くさり編み3目 | |

フードの編み進め方
本体を編む
14目 14目
①耳を編む
②最終段の頭目に糸端を通してしぼる
14目拾う 18段
18目拾う
とじる 衿を編む ♥に糸をつける

・衿・
④30目
③24目
②22目
①18目
本体から18目拾う
※1段に1目入れる
♥に糸をつける

[足カバー・2枚] 薄茶
⑥ ⑤ ④ ③ ②①
わ

[しっぽカバー・1枚] 薄茶
③ ②①
わ

[ブルーベリーの葉・1枚] 濃いきみどり
※毛糸2/3本できつめに編む
作り目 くさり編み3目

[ブルーベリー小・3枚] 赤2枚 紫1枚
[ブルーベリー大・3枚] 紫2枚 赤1枚
※毛糸2/3本できつめに編む
② ①
わ

[りんごの葉・1枚] 濃いきみどり
※毛糸1/3本できつめに編む
①
作り目 くさり編み2目

[りんご・1枚] 赤
⑤ ④ ③ ② ①
わ

足カバーの目の増やし方
3	±0	→ 10目
2	+2目	→ 10目
1段め	わの中に細編み8目	

しっぽカバーの目の増やし方
4	±0	→ 8
3	−2目	→ 8
2	+2目	→ 10目
1段め	わの中に細編み8目	

りんごの目の増減の仕方
5	−4	→ 8
3・4	±0	→ 12
2	+4目	→ 12目
1段め	わの中に細編み8目	

P.16 キイロイトリ（ハッピーナチュラルタイム）

[材料] *毛糸[ハマナカボニー]：キイロイトリ(33ページと同じ)
薄茶(418)15g、赤(429)5g、オフ白(442)・
きみどり(495)・濃いきみどり(476)・
こげ茶(419)・薄いピンク(405)各適量
*綿適量　*スプリングホック[#01]1組
*7.5/0号かぎ針、とじ針

[ゲージ] 細編み 10cm角 16段 15目

[作り方]

1 キイロイトリを作ります。
※33ページと同じ

2 パーツを作ります。
- 耳
- マスカット（最終段の頭目に糸端を通してしぼる／マスカットのへた）
- フード
- 手
- りんご（①綿を入れる／②最終段の頭目に糸端を通してしぼる／綿）
- おなか（ストレートステッチ 薄茶・2/3本／1段／0.5段／0.5目）
- りんごの葉
- りんごのへた

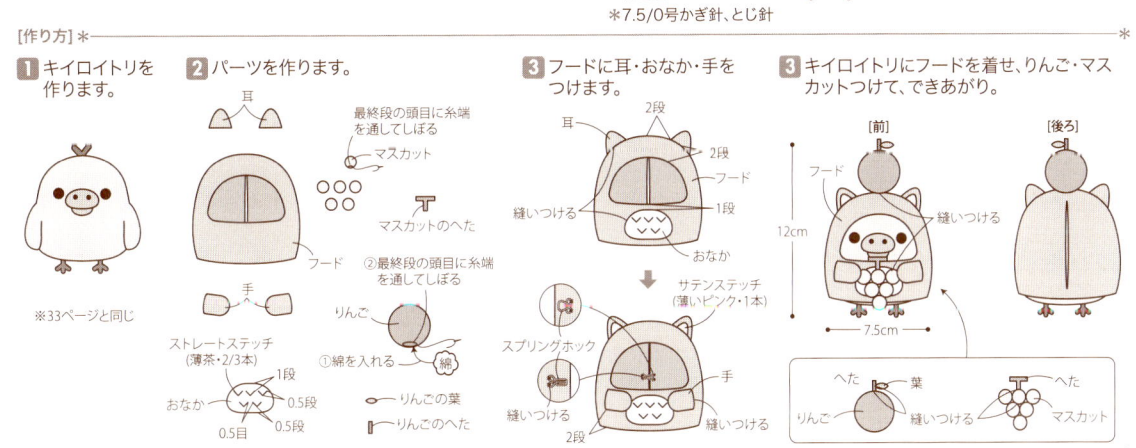

3 フードに耳・おなか・手をつけます。
- 耳 2段
- フード 2段／1段
- おなか
- 縫いつける
- サテンステッチ（濃いピンク・1本）
- スプリングホック
- 手 2段
- 縫いつける

3 キイロイトリにフードを着せ、りんご・マスカットつけて、できあがり。
[前] [後ろ]
フード 12cm／縫いつける／7.5cm
りんご（へた／葉／縫いつける）　マスカット（へた）

[編み図]

[フード・1枚] 薄茶 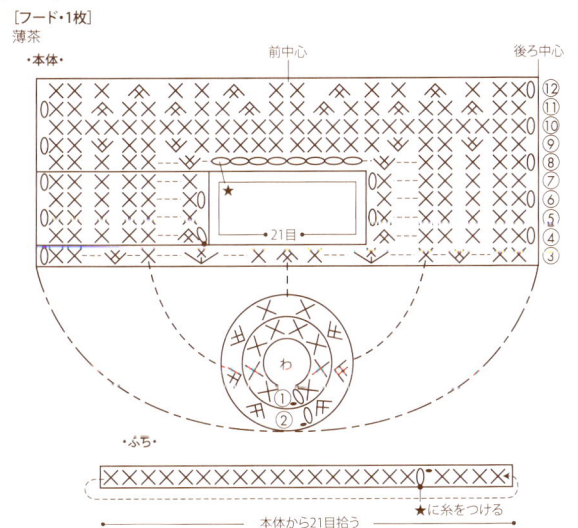
・本体・
前中心／後ろ中心
21目

・ふち・
本体から21目拾う　★に糸をつける

フードの目の増減の仕方		
12	−4	→16
11	−6	→20
10	±0	→26
9	+4	→26
8	+10	→22
5〜7	±0	→12
4	−7	→12
3	+6−1	→19
2	+6目	→14目
1段め	わの中に細編み8目	

[耳・2枚] 薄茶 
作り目 くさり編み2目

[手・2枚] 薄茶 
作り目 くさり編み3目

[おなか・1枚] オフ白 
編みはじめ 作り目 くさり編み2目

おなかの目の増やし方		
2	+4−2	→10
1段め	+6目	→8目
作り目	くさり編み2目	

フードの編み進め方
21目／本体を編む／ふちを編む／21目拾う／1段／とじる

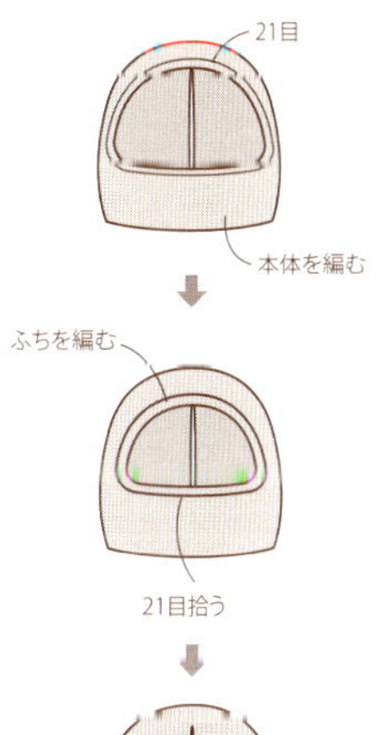

[りんご・1枚] 赤

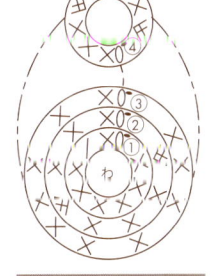

りんごの目の増減の仕方		
4	−2	→8
3	±0	→10
2	+2目	→10目
1段め	わの中に細編み8目	

[りんごのへた・1枚] こげ茶
※毛糸1/3本できつめに編む
作り目 くさり編み2目

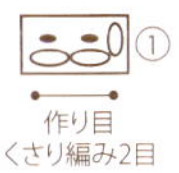

[りんごの葉・1枚] 濃いきみどり
※毛糸1/3本できつめに編む
作り目 くさり編み2目

[マスカット・6枚] きみどり
※毛糸1/3本できつめに編む

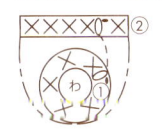

[マスカットのへた・1枚] こげ茶
※毛糸1/3本できつめに編む
作り目 くさり編み4目

P.18 ジュース

[材料] *毛糸[ハマナカボニー]:クリーム(478)・水色(439)・ブルー(471)・濃いピンク(474)・白(401)各適量
*竹串 10cm
*7.5/0号かぎ針、とじ針

[ゲージ] 細編み 10cm角 14段 13目

[作り方]

1 パーツを編みます。
- グラス
- ステム
- お花

2 グラスを作り、お花をつけます。
- 竹串 5.5cm
- 通す
- 2cm 切る
- 竹串をボンドで固定する
- 毛糸(水色・1/3本)
- はじめの糸を巻き込みながら巻く
- 0.8cm
- 最後はボンドでとめる
- お花
- ストレートステッチ(白・1本)
- 縫いつける
- グラスを下げる

[編み図]

[グラス 1枚] クリーム・水色
□…クリーム □…水色
色かえ

グラスの目の増やし方		
3・4	±0	→6
2	+2目	→6目
1段め	わの中に細編み4目	

[ステム 1枚] 水色

[お花 1枚] 濃いピンク

3 ストローを作り、グラスにさして、できあがり。
- ストロー
- 6cm
- 2cm
- 竹串 3cm
- 毛糸(ブルー・1/3本)
- はじめの糸を巻き込みながら巻く
- 最後はボンドでとめる

P.19 コリラックマ(アロハ)

[材料] *毛糸[ハマナカボニー]:コリラックマ(36ページと同じ)
濃いピンク(468)20g、ピンク(465)・白(401)各5g、
クリーム(478)適量
*綿適量 *7.5/0号かぎ針、とじ針

[ゲージ] 細編み 10cm角 14段 13目

[作り方]

1 コリラックマを作ります。
※36ページと同じ

2 ムームー・レイ・頭飾りを作ります。
- 頭飾り
- フレンチナッツステッチ(クリーム・1本)
- レイの花
- ムームーの花
- ムームー
- 縫いつける
- 縫いつける

3 コリラックマにムームーを着せます。
[前] [後ろ]
- ひもの先を縫いつける

4 レイ・頭飾りをつけ、できあがり。
[前] [後ろ]
- 頭飾り
- レイ
- 12.5cm
- 10.5cm
- 端と端を縫いつける

[編み図]

[ムームー・1枚] 濃いピンク
- 糸をつける
- 作り目 くさり編み30目

[レイの花・10枚] 濃いピンク5枚 ピンク5枚
※毛糸2/3本できつめに編む

[ムームーの花・14枚] 白
※毛糸1/3本できつめに編む

[頭飾り・1枚] 濃いピンク

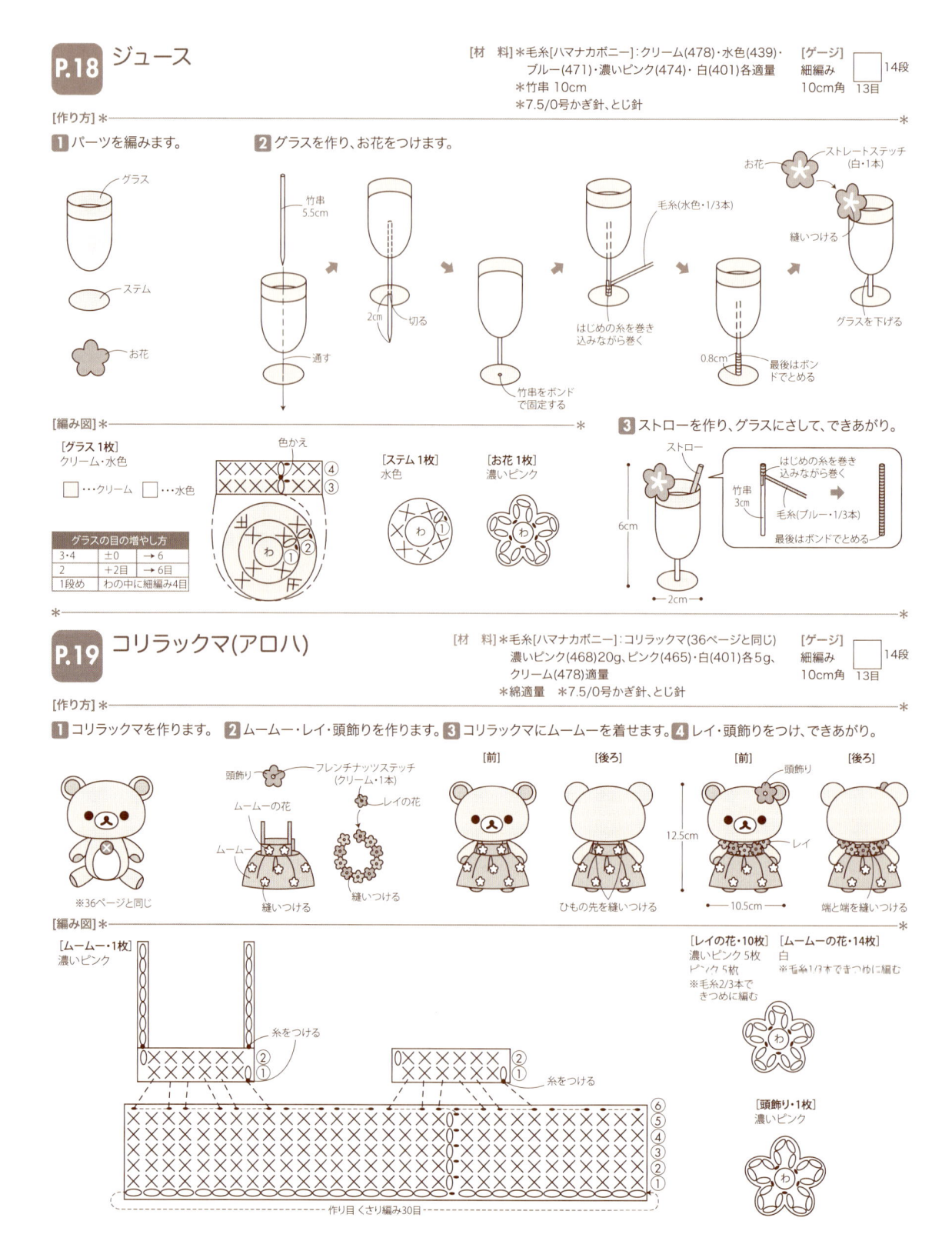

P.18 サングラス

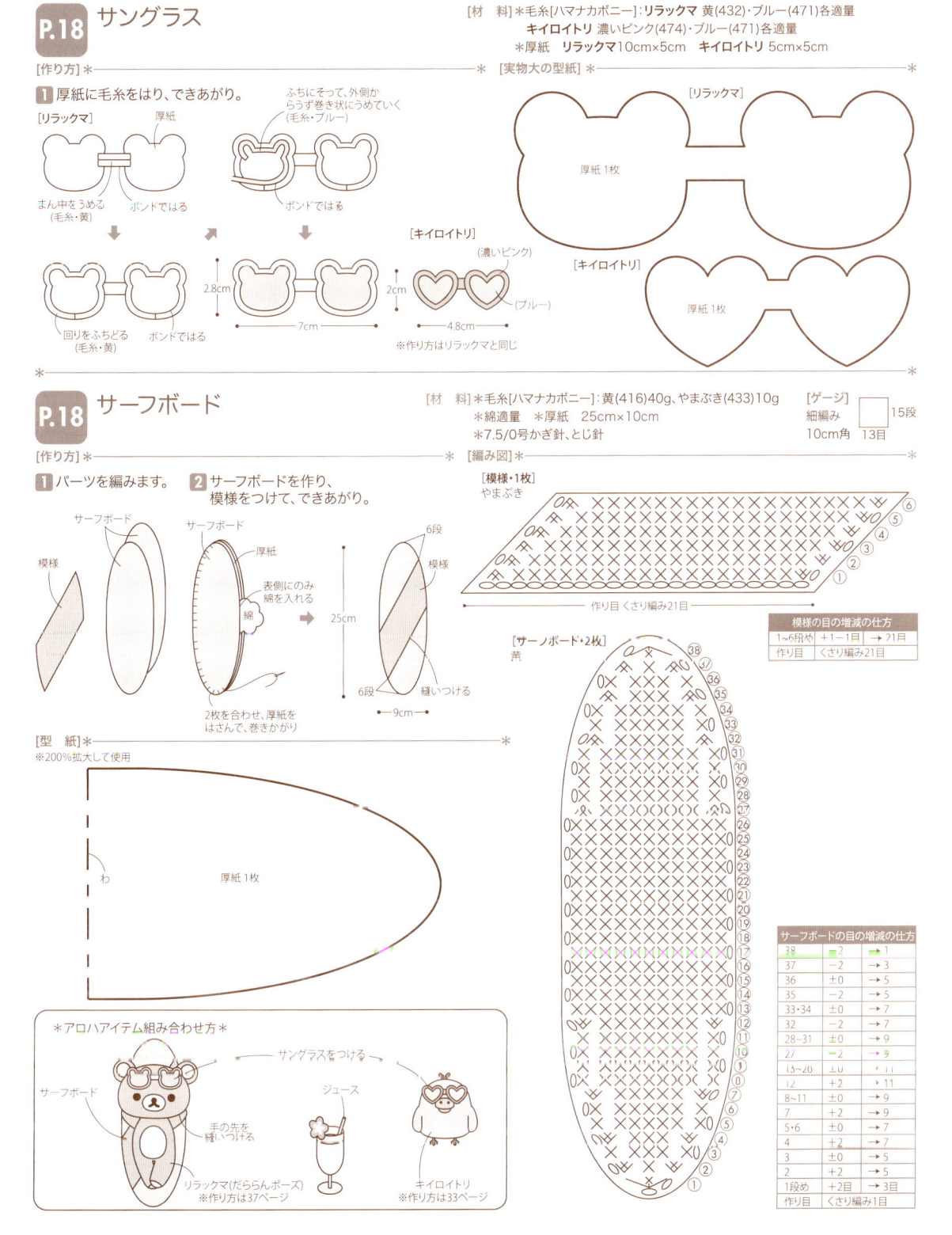

[材　料] *毛糸[ハマナカボニー]: リラックマ 黄(432)・ブルー(471)各適量
キイロイトリ 濃いピンク(474)・ブルー(471)各適量
*厚紙　リラックマ 10cm×5cm　キイロイトリ 5cm×5cm

[作り方]

1 厚紙に毛糸をはり、できあがり。

[リラックマ]
- まん中をうめる（毛糸・黄）
- ボンドではる
- ふちにそって、外側からうずまき状にうめていく（毛糸・ブルー）
- ボンドではる
- 回りをふちどる（毛糸・黄）
- ボンドではる
- 2.8cm
- 7cm

[キイロイトリ]
- （濃いピンク）
- （ブルー）
- 2cm
- 4.8cm
- ※作り方はリラックマと同じ

[実物大の型紙]
[リラックマ] 厚紙1枚
[キイロイトリ] 厚紙1枚

P.18 サーフボード

[材　料] *毛糸[ハマナカボニー]: 黄(416)40g、やまぶき(433)10g
*綿適量　*厚紙 25cm×10cm
*7.5/0号かぎ針、とじ針

[ゲージ] 細編み 10cm角 15段 13目

[作り方]

1 パーツを編みます。

2 サーフボードを作り、模様をつけて、できあがり。

- 模様
- サーフボード
- 厚紙
- 表側にのみ綿を入れる
- 25cm
- 6段
- 9cm
- 6段
- 縫いつける
- 2枚を合わせ、厚紙をはさんで、巻きかがり

[型　紙]
※200%拡大して使用
わ　厚紙1枚

[編み図]

[模様・1枚] やまぶき
作り目 くさり編み21目

模様の目の増減の仕方		
1〜6段め	+1-1目	→ 21目
作り目	くさり編み21目	

[サーフボード・2枚] 黄

サーフボードの目の増減の仕方		
38	■2	→ 1
37	-2	→ 3
36	±0	→ 5
35	-2	→ 5
33・34	±0	→ 7
32	-2	→ 7
28〜31	±0	→ 9
27	-2	→ 9
13〜26	±0	→ 11
12	+2	→ 11
8〜11	±0	→ 9
7	+2	→ 9
5・6	±0	→ 7
4	+2	→ 7
3	±0	→ 5
2	+2	→ 5
1段め	+2目	→ 3目
作り目	くさり編み1目	

アロハアイテム組み合わせ方

- サーフボード
- 手の先を縫いつける
- サングラスをつける
- ジュース
- リラックマ（だららんポーズ）※作り方は37ページ
- キイロイトリ ※作り方は33ページ

49

P.20 リラックマのパペット

[材 料] *毛糸[ハマナカボニー]：茶(482)75g、白(401)5g、やまぶき(433)・黒(402)各適量
*綿適量
*7.5/0号かぎ針、とじ針

[ゲージ] 細編み 10cm角 14段 13目

[作り方]

1 パーツを編み、綿を入れます。

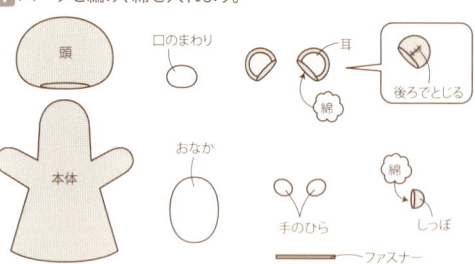

頭 / 口のまわり / 耳 / 綿 / 後ろでとじる
本体 / おなか / 手のひら / 綿 / しっぽ / ファスナー

2 本体に頭をつけます。

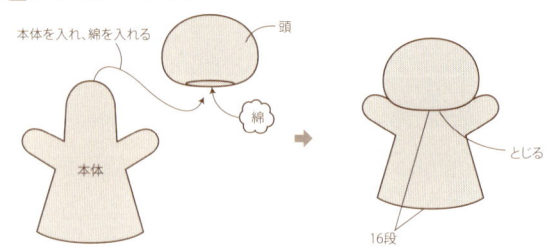

本体を入れ、綿を入れる / 頭 / 綿 / 本体 / とじる / 16段

3 耳・口のまわり・おなか・手のひら・しっぽ・ファスナーをつけます。

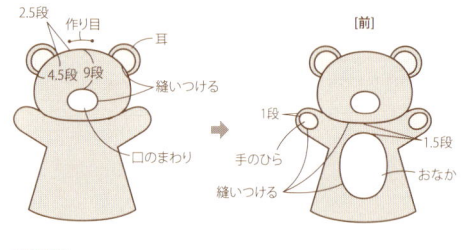

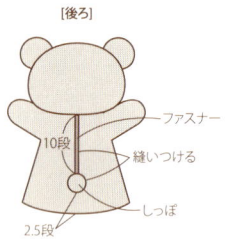

2.5段 / 作り目 / 耳
4.5段 9段 / 縫いつける
口のまわり

[前] 1段 / 手のひら / 縫いつける / 1.5段 / おなか
[後ろ] ファスナー / 10段 / 縫いつける / しっぽ / 2.5段

4 顔を作り、できあがり。

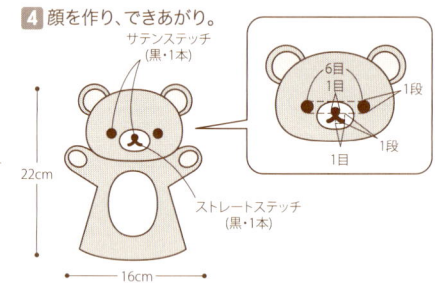

サテンステッチ (黒・1本)
22cm / 16cm
ストレートステッチ (黒・1本)
6目 / 1目 / 1目 / 1段 / 1目 / 1段

[編み図]

[頭・1枚] 茶
首
編みはじめ 作り目 くさり編み4目

[耳・2枚] やまぶき・茶
□…やまぶき □…茶
色かえ
わ

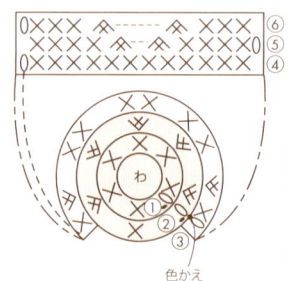

耳の目の増減の仕方		
6	−2	→8
5	−2	→10
4	±0	→12
3	+2−1	→12
2	+5目	→11目
1段め	わの中に細編み6目	

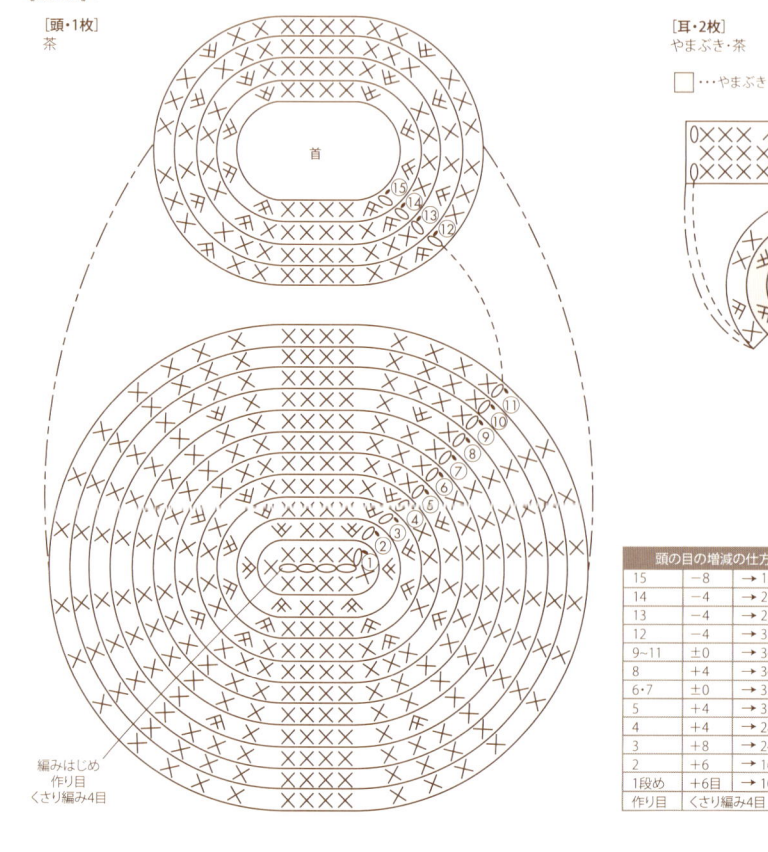

頭の目の増減の仕方		
15	−8	→16
14	−4	→24
13	−4	→28
12	−4	→32
9~11	±0	→36
8	+4	→36
6・7	±0	→32
5	+4	→32
4	+4	→28
3	+4	→24
2	+6	→16
1段め	+6目	→10目
作り目	くさり編み4目	

[口のまわり・1枚] 白
編みはじめ 作り目 くさり編み2目

口のまわりの目の増やし方		
2	+4−2	→8
1段め	+4目	→6目
作り目	くさり編み2目	

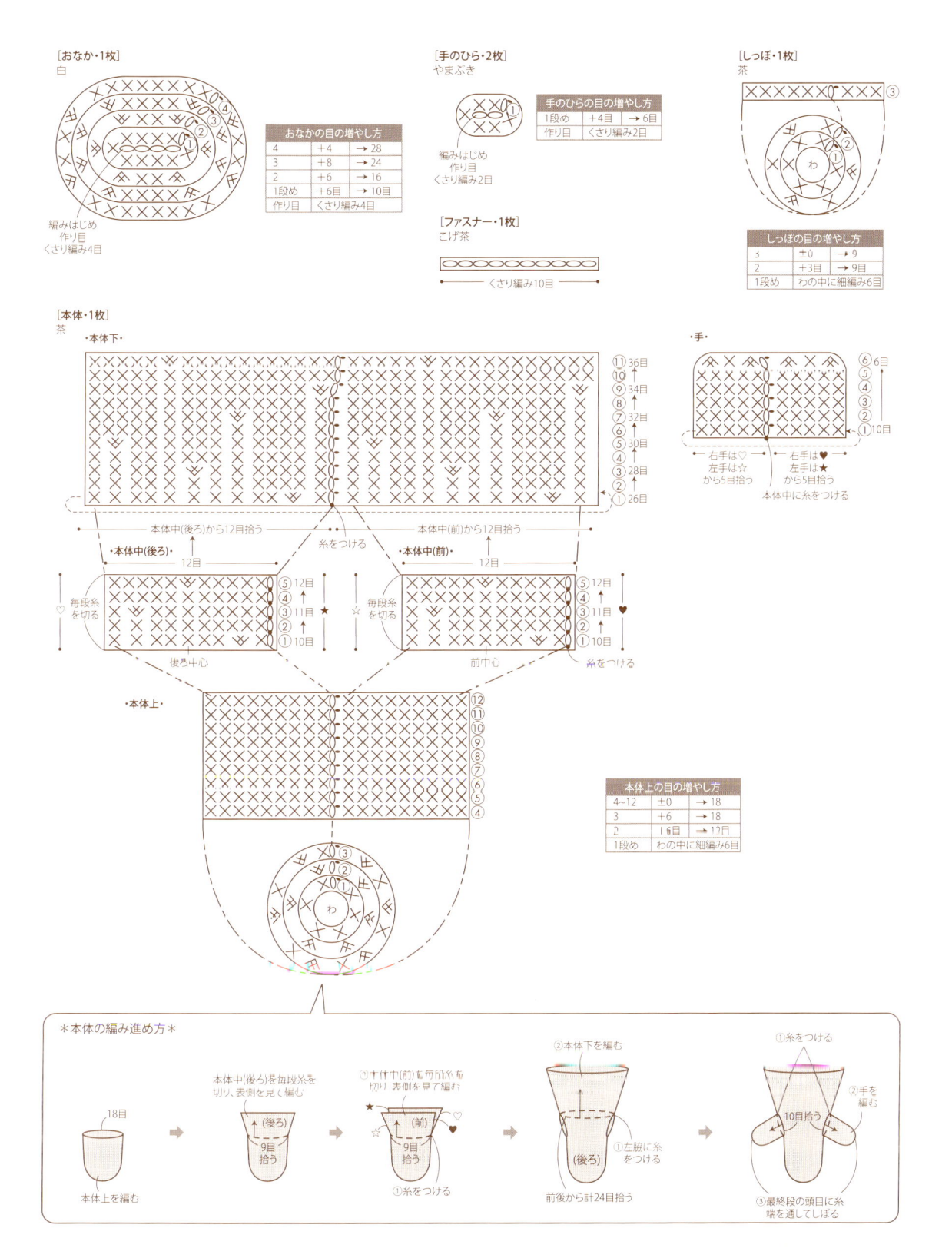

[おなか・1枚]
白

編みはじめ
作り目
くさり編み4目

おなかの目の増やし方		
4	+4	→ 28
3	+8	→ 24
2	+6	→ 16
1段め	+6目	→ 10目
作り目	くさり編み4目	

[手のひら・2枚]
やまぶき

編みはじめ
作り目
くさり編み2目

手のひらの目の増やし方		
1段め	+4目	→ 6目
作り目	くさり編み2目	

[ファスナー・1枚]
こげ茶

くさり編み10目

[しっぽ・1枚]
茶

しっぽの目の増やし方		
3	±0	→ 9
2	+3	→ 9目
1段め	わの中に細編み6目	

[本体・1枚]
茶

・本体下・

⑪ 36目
⑩
⑨ 34目
⑧
⑦ 32目
⑥
⑤ 30目
④
③ 28目
②
① 26目

本体中(後ろ)から12目拾う 糸をつける 本体中(前)から12目拾う

・本体中(後ろ)・ 12目   ・本体中(前)・ 12目

毎段糸を切る ⑤12目 ④ ③11目 ★☆ 毎段糸を切る ⑤12目 ④ ③11目 ② ①10目 ♥

後ろ中心 前中心 糸をつける

・手・
⑥ 6目
⑤
④
③
②
① 10目

右手は♡
左手は☆
から5目拾う

右手は♥
左手は★
から5目拾う

本体中に糸をつける

・本体上・

⑫
⑪
⑩
⑨
⑧
⑦
⑥
⑤
④

本体上の目の増やし方		
4~12	±0	→ 18
3	+6	→ 18
2	+6目	→ 12目
1段め	わの中に細編み6目	

本体の編み進め方

18目 → 本体上を編む

本体中(後ろ)を毎段糸を切り、表側を見て編む
(後ろ) 9目拾う

本体中(前)も同様に糸を切り表側を見て編む
★ (後ろ) (前) ♥
9目拾う
①糸をつける

②本体下を編む
①左脇に糸をつける
前後から計24目拾う

①糸をつける
②手を編む
10目拾う
③最終段の頭目に糸端を通してしぼる

51

P.22 センチメンタルサーカス (シャッポ)

[材 料] ＊毛糸[ハマナカボニー]：ピンク(465)・薄いピンク(405)各35g、オフ白(442)30g、黒(402)5g、濃いピンク(474)・グレー(481)各適量
＊綿適量　＊フェルト：白少々　＊25番刺しゅう糸：赤少々
＊7.5/0号かぎ針、とじ針

[ゲージ] 細編み 10cm角 16段 15目

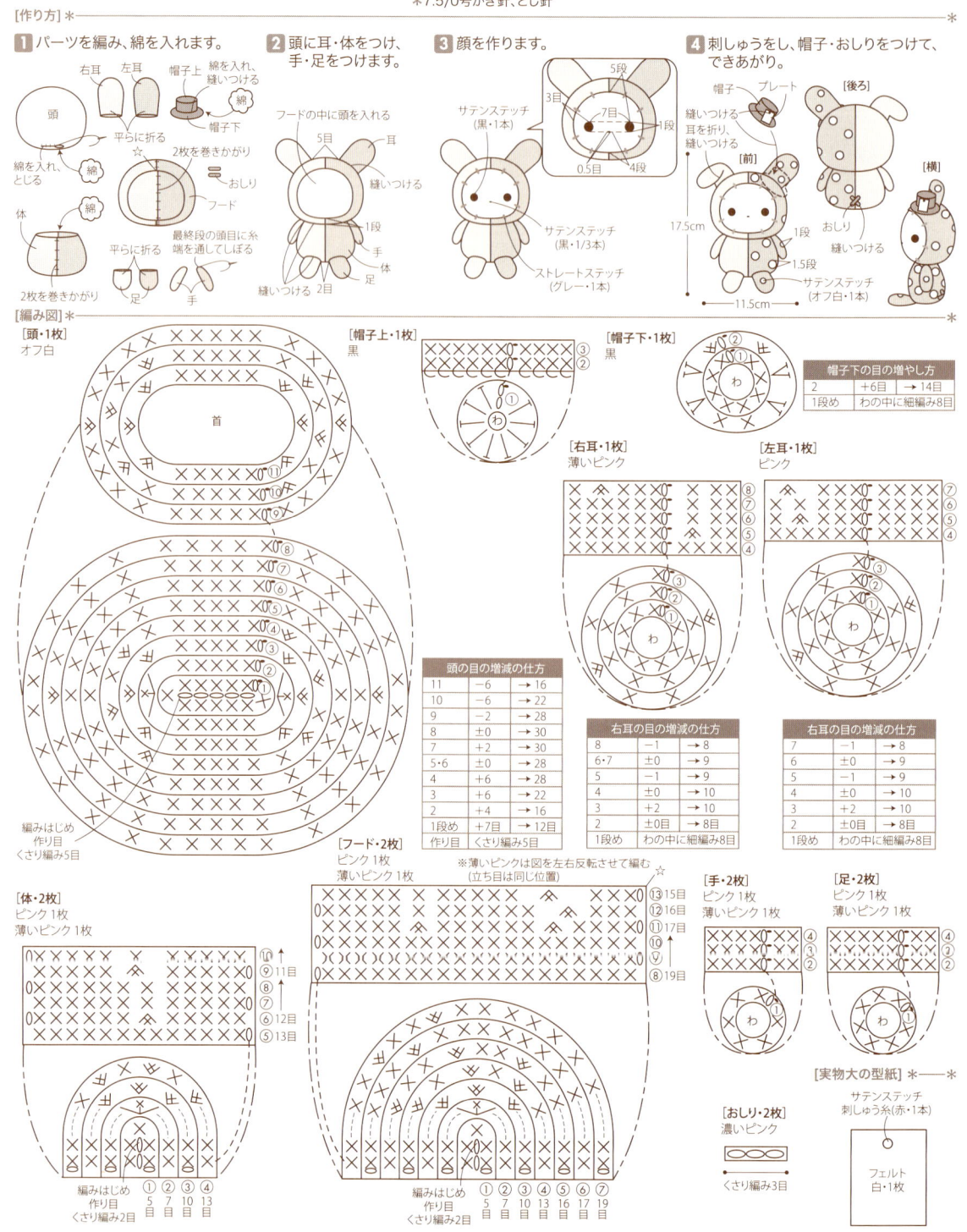

[作り方]

1 パーツを編み、綿を入れます。

頭／右耳／左耳／帽子上／綿／帽子下／体／綿を入れ、とじ／平らに折る／縫いつける／綿／フード／2枚を巻きかがり／おしり／最終段の頭目に糸端を通してしぼる／平らに折る／足／手／2枚を巻きかがり

2 頭に耳・体をつけ、手・足をつけます。

フードの中に頭を入れる／耳／5段／縫いつける／1段／手／体／足／縫いつける／2目

3 顔を作ります。

5段／3目／7目／1段／0.5目／4段／サテンステッチ(黒・1本)／サテンステッチ(黒・1/3本)／ストレートステッチ(グレー・1本)

4 刺しゅうをし、帽子・おしりをつけて、できあがり。

帽子／プレート／[後ろ]／縫いつける／耳を折り、縫いつける／[前]／[横]／1段／おしり／1.5目／縫いつける／サテンステッチ(オフ白・1本)／17.5cm／11.5cm

[編み図]

[頭・1枚] オフ白／首

頭の目の増減の仕方
11	−6	→16
10	−6	→22
9	−2	→28
8	±0	→30
7	+2	→30
5・6	±0	→28
4	+6	→28
3	+6	→22
2	+4	→16
1段め	+7目	→12目
作り目	くさり編み5目

編みはじめ 作り目 くさり編み5目

[帽子上・1枚] 黒

[帽子下・1枚] 黒

帽子下の目の増やし方
2	+6目	→14目
1段め	わの中に細編み8目

[右耳・1枚] 薄いピンク

[左耳・1枚] ピンク

右耳の目の増減の仕方
8	−1	→8
6・7	±0	→9
5	−1	→9
4	±0	→10
3	+2	→10
2	±0目	→8目
1段め	わの中に細編み8目

右耳の目の増減の仕方
7	−1	→8
6	±0	→9
5	−1	→9
4	±0	→10
3	+2	→10
2	±0目	→8目
1段め	わの中に細編み8目

[体・2枚] ピンク1枚／薄いピンク1枚

編みはじめ 作り目 くさり編み2目

[フード・2枚] ピンク1枚／薄いピンク1枚
※薄いピンクは図を左右反転させて編む(立ち上がりは同じ位置)

編みはじめ 作り目 くさり編み2目

[手・2枚] ピンク1枚／薄いピンク1枚

[足・2枚] ピンク1枚／薄いピンク1枚

[おしり・2枚] 濃いピンク

くさり編み3目

[実物大の型紙]

サテンステッチ 刺しゅう糸(赤・1本)

フェルト 白・1枚

P.22 センチメンタルサーカス (リオ)

[材　料] ＊毛糸[ハマナカボニー]：白(401)40g、黒(402)10g、薄いピンク(405)・おうど色(491)各適量
＊綿適量
＊7.5/0号かぎ針、とじ針

[ゲージ] 細編み 10cm角 16段 15目

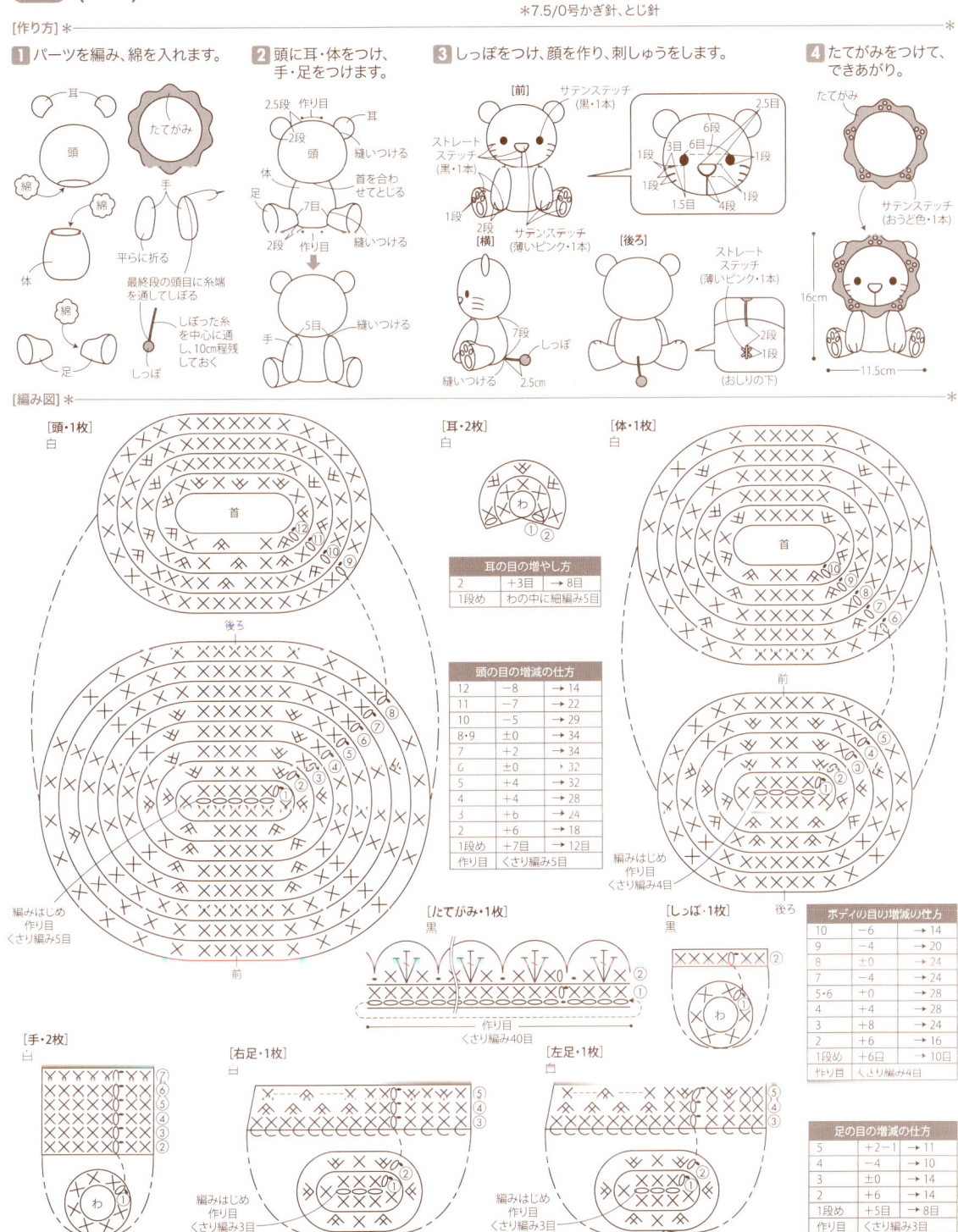

[作り方]

1 パーツを編み、綿を入れます。

2 頭に耳・体をつけ、手・足をつけます。

3 しっぽをつけ、顔を作り、刺しゅうをします。

4 たてがみをつけて、できあがり。

仕上がりサイズ：16cm × 11.5cm

[編み図]

頭の目の増減の仕方

段	増減	目数
12	−8	→14
11	−7	→22
10	−5	→29
8・9	±0	→34
7	±0	→34
6	±0	→32
5	+4	→32
4	±0	→28
3	+6	→24
2	+6	→18
1段め	+7目	→12目
作り目	くさり編み5目	

耳の目の増やし方

段	増減	目数
2	+3目	→8目
1段め	わの中に細編み5目	

ボディの目の増減の仕方

段	増減	目数
10	−6	→14
9	−4	→20
8	±0	→24
7	−4	→24
5・6	±0	→28
4	±0	→28
3	+8	→24
2	+6	→16
1段め	+6目	→10目
作り目	くさり編み4目	

足の目の増減の仕方

段	増減	目数
5	+2−1	→11
4	−4	→10
3	±0	→14
2	+6	→14
1段め	+5目	→8目
作り目	くさり編み3目	

P.24 靴下にゃんこ

[材 料] *毛糸[ハマナカボニー]: **靴下にゃんこ** 黒(402)50g、白(401)5g、赤(429)・黄(416)・濃いグレー(481)各適量
シロちゃん 白(401)50g、濃いピンク(474)・薄いピンク(405)・水色(439)・黒(402)各適量
ロッシー グレー(486)40g、薄いピンク(405)・ブルー(471)・黒(402)・濃いグレー(481)各適量
*綿適量
*7.5/0号かぎ針、とじ針

[ゲージ] 細編み 10cm角 16段 15目

[作り方]

[靴下にゃんこ]

1 パーツを編み、綿を入れます。
耳／平らに折る／目／首輪／体／頭／綿を入れ、とじる／綿／しっぽ

2 頭に耳・体をつけ、しっぽをつけます。
[前] 作り目／耳／4.5段／頭／手／[横] 縫いつける／しっぽ／8段

3 顔を作り、刺しゅうをし、首輪をつけて、できあがり。
[前] 6目／7段／2段／1目／目／12cm／9cm／アウトラインステッチ（黄・1本）／サテンステッチ（濃いグレー・1本）
[後ろ] 1段／15.5cm／ストレートステッチ（グレー・1本）／首輪を巻く／チェーンステッチ（白・1本）／靴下にゃんこのみ

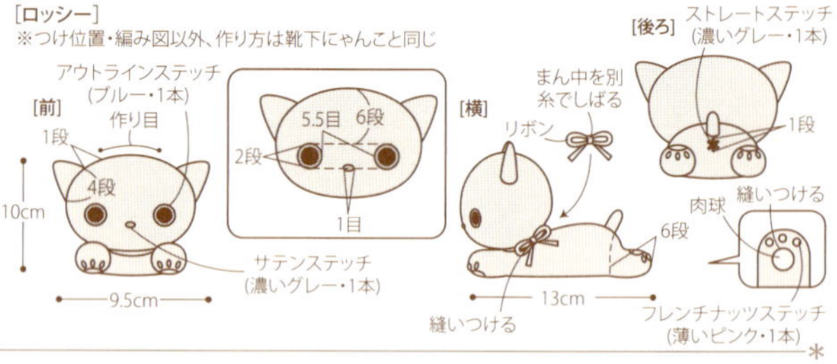

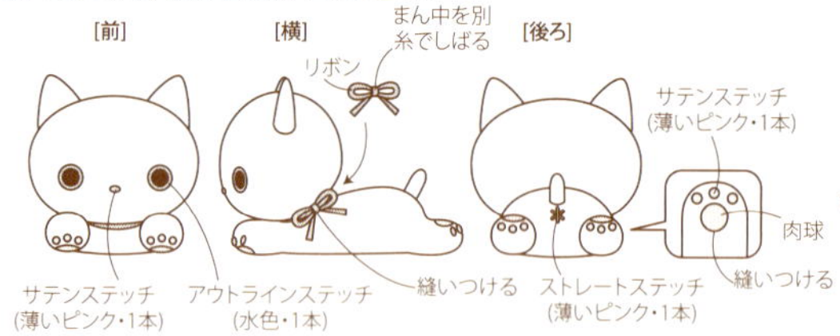

[シロちゃん]
※作り方、つけ位置、編み図は靴下にゃんこと同じ

[前] サテンステッチ（薄いピンク・1本）／[横] まん中を別糸でしばる／リボン／アウトラインステッチ（水色・1本）／縫いつける／[後ろ] ストレートステッチ（薄いピンク・1本）／縫いつける／肉球／サテンステッチ（薄いピンク・1本）

[ロッシー]
※つけ位置、編み図以外、作り方は靴下にゃんこと同じ

[前] アウトラインステッチ（ブルー・1本）／1段／4段／2段／1目／10cm／9.5cm／サテンステッチ（濃いグレー・1本）／作り目／5.5目／6段
[横] まん中を別糸でしばる／リボン／6段／13cm／肉球／縫いつける
[後ろ] 1段／ストレートステッチ（濃いグレー・1本）／フレンチナッツステッチ（薄いピンク・1本）

[編み図]

[靴下にゃんこ＆シロちゃんの頭・各1枚]
(靴下にゃんこ)黒 (シロちゃん)白
首／編みはじめ 作り目 くさり編み6目

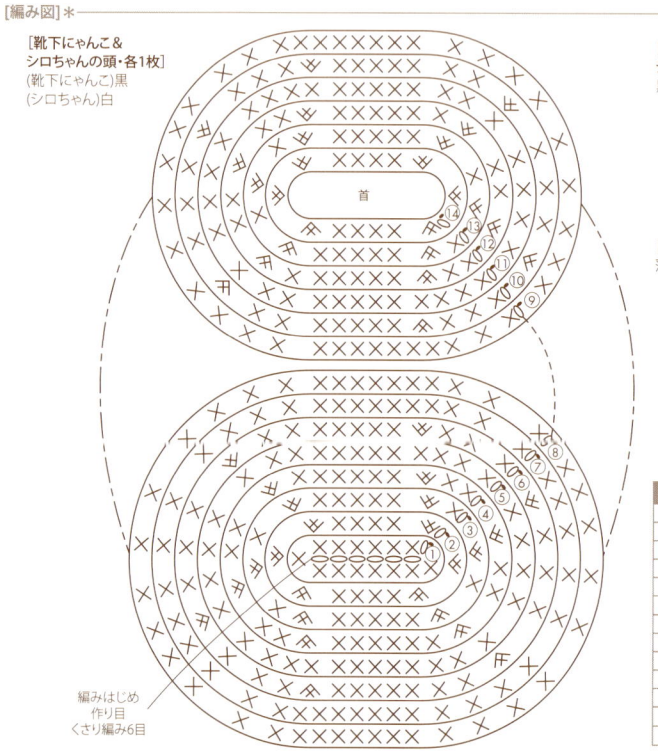

[靴下にゃんこ＆シロちゃんの目・各2枚] 黒

[シロちゃんの肉球・4枚] 薄いピンク／わ①

[靴下にゃんこ＆シロちゃんの耳・各2枚]
(靴下にゃんこ)黒 (シロちゃん)白

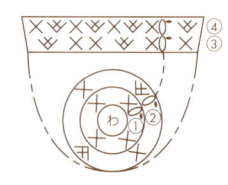

耳の目の増やし方		
4	+4	→ 12
3	+2	→ 8
2	+2目	→ 6目
1段め	わの中に細編み4目	

頭の目の増減の仕方		
14	-6	→ 14
13	-6	→ 20
12	-6	→ 26
11	±0	→ 32
10	-6	→ 32
7～9	±0	→ 38
6	+6	→ 38
5	±0	→ 32
4	+6	→ 32
3	+6	→ 26
2	+6	→ 20
1段め	+8目	→ 14目
作り目	くさり編み6目	

[靴下にゃんこ＆シロちゃんのしっぽ・各1枚]
(靴下にゃんこ)黒 (シロちゃん)白

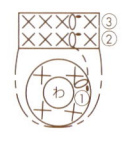

[靴下にゃんこ&シロちゃんの体・各1枚]
(靴下にゃんこ)黒・白
(シロちゃん)白

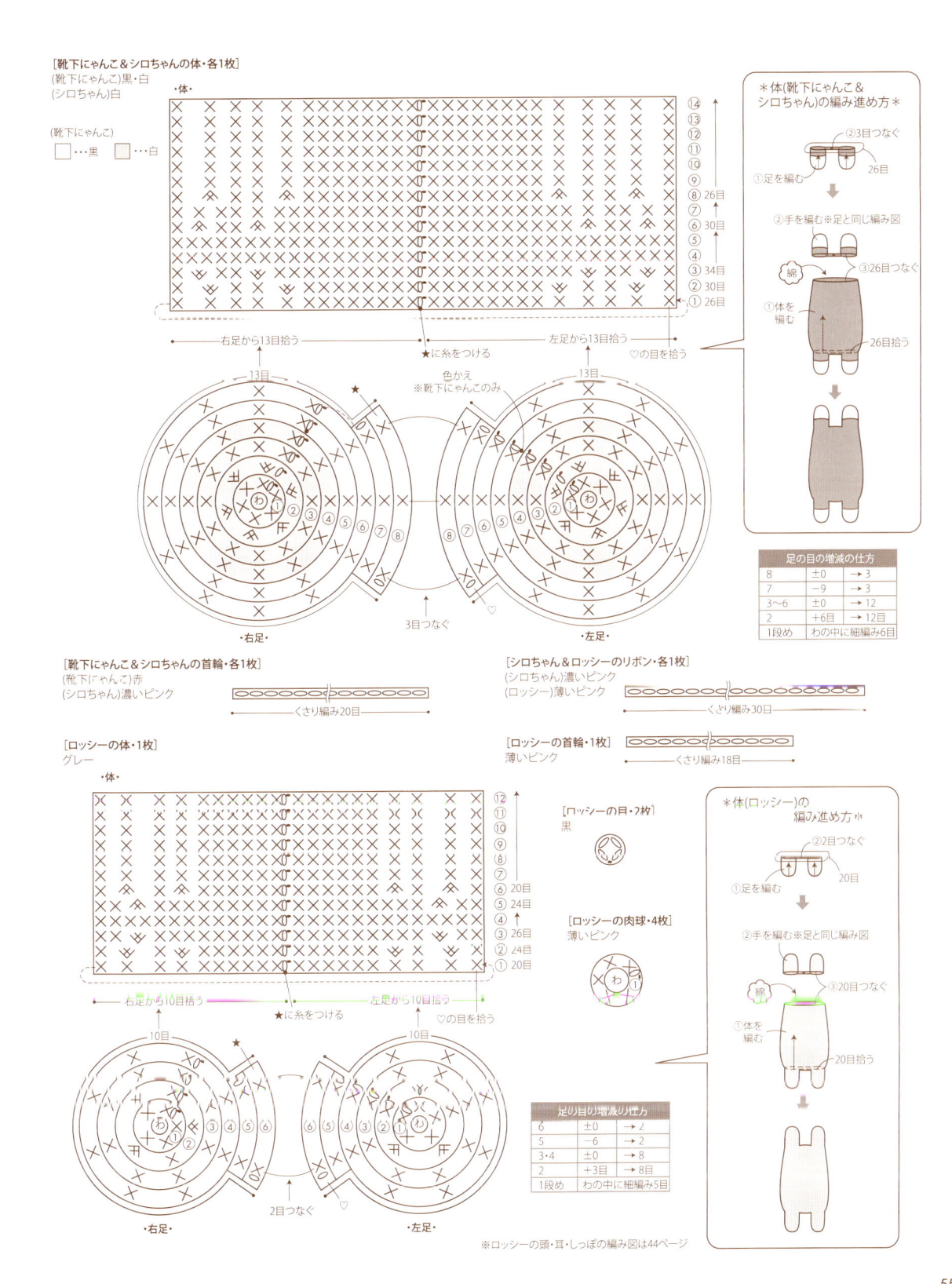

(靴下にゃんこ)
□…黒　■…白

体(靴下にゃんこ&シロちゃん)の編み進め方

①足を編む　②3目つなぐ　26目

②手を編む ※足と同じ編み図　③26目つなぐ

綿　①体を編む　26目拾う

足の目の増減の仕方		
8	±0	→3
7	−9	→3
3〜6	±0	→12
2	+6目	→12目
1段め	わの中に細編み6目	

[靴下にゃんこ&シロちゃんの首輪・各1枚]
(靴下にゃんこ)赤
(シロちゃん)濃いピンク
くさり編み20目

[シロちゃん&ロッシーのリボン・各1枚]
(シロちゃん)濃いピンク
(ロッシー)薄いピンク
くさり編み30目

[ロッシーの体・1枚]
グレー

[ロッシーの首輪・1枚]
薄いピンク
くさり編み18目

[ロッシーの目・2枚]
黒

[ロッシーの肉球・4枚]
薄いピンク

体(ロッシー)の編み進め方

①足を編む　②2目つなぐ　20目

②手を編む ※足と同じ編み図　③20目つなぐ

綿　①体を編む　20目拾う

足り目の増減の仕方		
6	±0	→2
5	−6	→2
3・4	±0	→8
2	+3目	→8目
1段め	わの中に細編み5目	

※ロッシーの頭・耳・しっぽの編み図は44ページ

P.26 まめゴマ

[材 料] *毛糸[ハマナカボニー]：**しろゴマ** 白(401)30g、黒(402)10g、水色(439)・薄いピンク(405)各適量
さくらゴマ 薄いピンク(405)25g、ピンク(465)15g、オフ白(442)5g、黒(402)適量
*綿適量
*7.5/0号かぎ針、とじ針

[ゲージ] 細編み 10cm角 16段 15目

[作り方]

[しろゴマ]

1 体のパーツを編み、綿を入れます。
- 綿／足／綿／体／手／平に折る／2目つなぐ

2 体に手と足をつけます。
- 12目／12目合わせてとじる／縫いつける／手／おなか側／9段め／体／9段／縫いつける

3 顔を作ります。
- サテンステッチ(黒・1本)／サテンステッチ(黒・2/3本)／サテンステッチ(薄いピンク・1本)／バックステッチ(黒・2/3本)／4段 5目 0.7段／1目 1目／中心 1段

4 カチューシャを作ります。
- フレンチナッツステッチ(水色・1本)／カチューシャ

5 エプロンを作ります。
- エプロン下／エプロン上／0.5段／①エプロン上を縮めて縫いつける／②縫いつける／リボン結び

6 しろゴマにカチューシャとエプロンを着せ、できあがり。
- カチューシャ／エプロン／縫いつける／8段／8cm／11cm／12cm

[さくらゴマ]

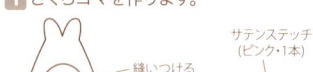

1 さくらゴマを作ります。
- おなか／5.5段／サテンステッチ(ピンク・1本)／縫いつける／※おなか以外はしろゴマと同じ

2 うさぎの耳を作ります。
- 耳／縫いつける／耳の土台／耳の中／縫いつける

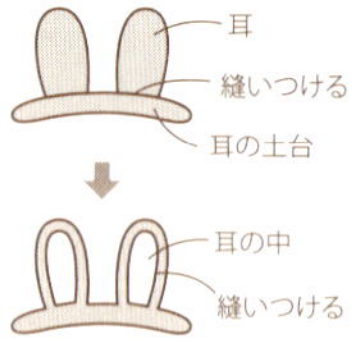

3 着ぐるみを作ります。
- 着ぐるみ／3段／綿／しっぽ／縫いつける

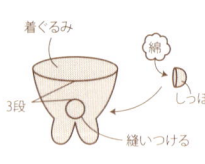

4 さくらゴマにうさぎの耳と着ぐるみを着せ、できあがり。
- うさぎの耳／縫いつける／着ぐるみ／9.5cm／8段／11cm／13cm

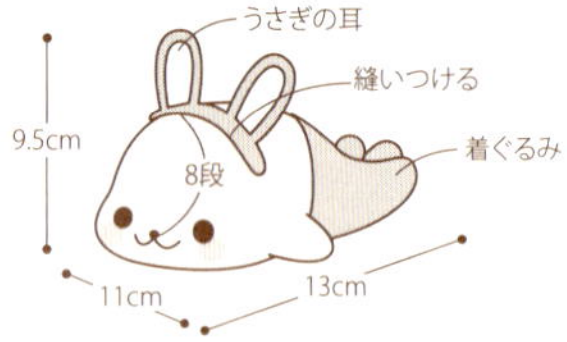

[編み図]

[体共通・各1枚]
(しろゴマ)白・水色　(さくらゴマ)薄いピンク・オフ白　□…水色/オフ白　□…白/薄いピンク

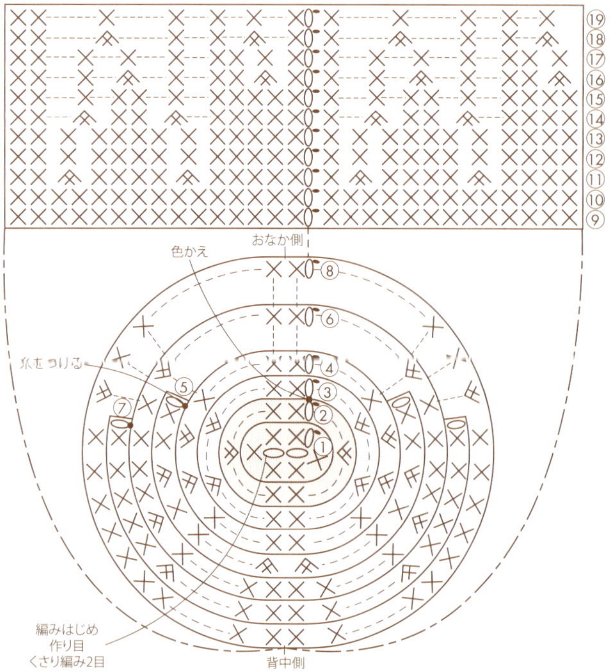

[手共通・各2枚]
(しろゴマ)白
(さくらゴマ)薄いピンク

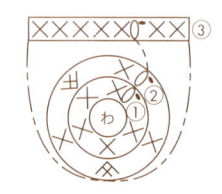

手の目の増やし方		
3	±0	→7
2	+2目	→7目
1段め	わの中に細編み5目	

[足共通・各2枚]
(しろゴマ)白
(さくらゴマ)薄いピンク

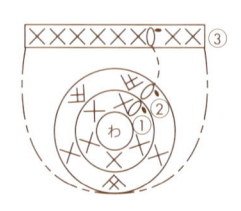

足の目の増やし方		
3	±0	→8
2	+3目	→8目
1段め	わの中に細編み5目	

体の目の増減の仕方		
19	±0	→12
18	−4	→12
17	±0	→16
16	−4	→16
15	±0	→20
14	±0	→20
12・13	±0	→24
11	−4	→24
9・10	±0	→28
8	+10	→28
7	+2−8	→18
6	+8	→24
5	+4−4	→16
4	+4	→16
3	+4	→12
2	+2	→8
1段め	+4目	→6目
作り目	くさり編み2目	

おなか側／色かえ／糸をつける／編みはじめ 作り目 くさり編み2目／背中側

[カチューシャ・1枚]
白

細編みと細編みの間にピコットを編む

作り目
くさり編み6目

[リボン・1枚]
白

作り目
くさり編み30目

[エプロン上・1枚]
白

作り目
くさり編み52目

[エプロン下・1枚]
黒

作り目
くさり編み26目

[着ぐるみ・1枚]
ピンク
・本体・

右足から7目拾う　左足から7目拾う　♡の目を拾う

7目　　7目

3目つなぐ

・右足・　・左足・

スカート下の目の増やし方		
4	±0	→ 39
3	+13	→ 39
1・2段め	±0目	→ 26目
作り目	くさり編み26目	

＊着ぐるみの編み進め方＊

3目つなぐ
14目
足を編む

本体を編む

14目拾う

足の目の増やし方		
3・4	±0	→ 10
2	+2目	→ 10目
1段め	わの中に細編み8目	

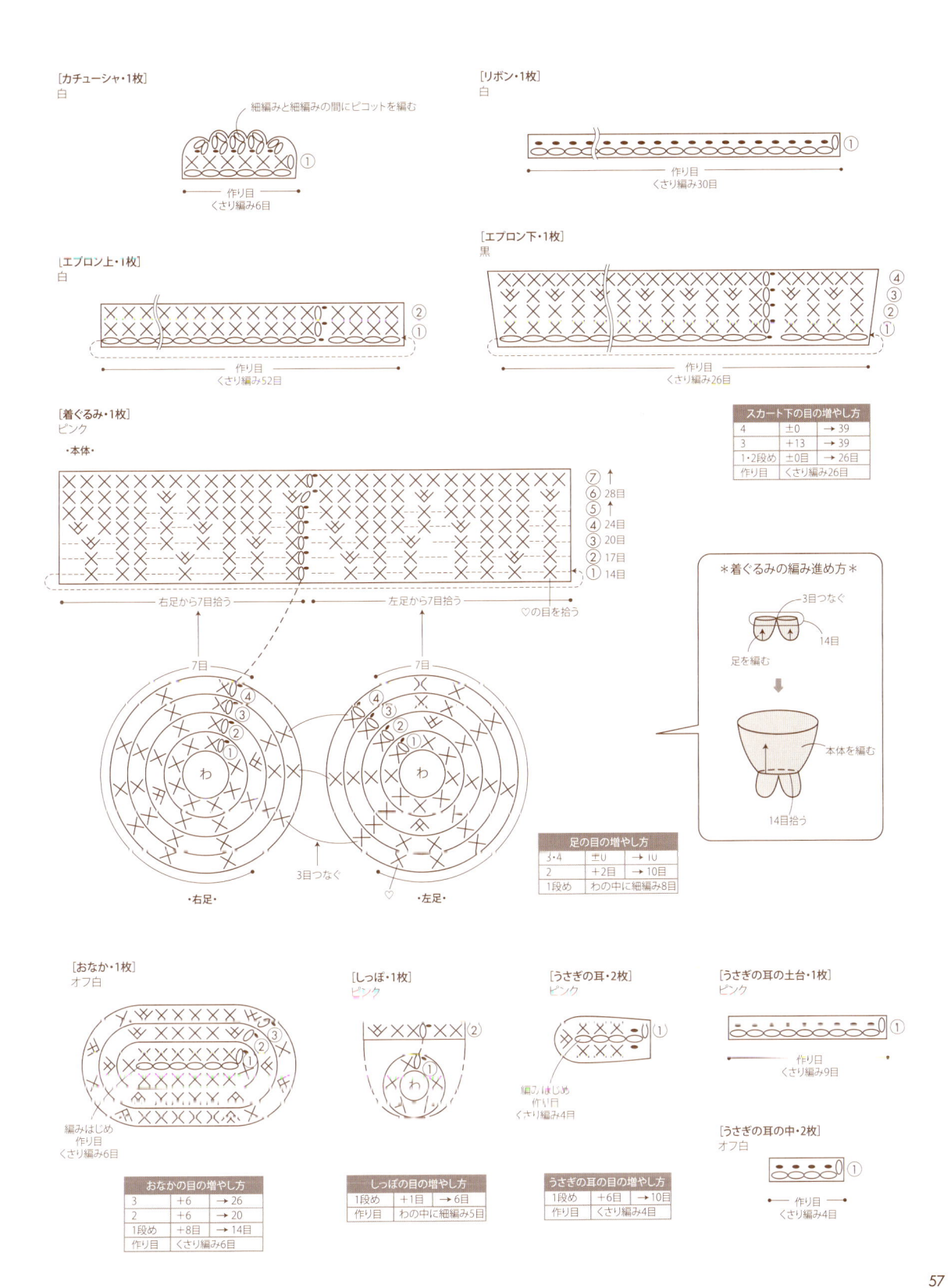

[おなか・1枚]
オフ白

編みはじめ
作り目
くさり編み6目

[しっぽ・1枚]
ピンク

[うさぎの耳・2枚]
ピンク

編みはじめ
作り目
くさり編み4目

[うさぎの耳の土台・1枚]
ピンク

作り目
くさり編み9目

[うさぎの耳の中・2枚]
オフ白

作り目
くさり編み4目

おなかの目の増やし方		
3	+6	→ 26
2	+6	→ 20
1段め	+8目	→ 14目
作り目	くさり編み6目	

しっぽの目の増やし方		
1段め	+1目	→ 6目
作り目	わの中に細編み5目	

うさぎの耳の目の増やし方		
1段め	+6目	→ 10目
作り目	くさり編み4目	

57

P.28 すみっコぐらし

[材料] *毛糸[ハマナカボニー]：しろくま 白(401)35g・こげ茶(419)・薄いピンク(405)各適量
ねこ オフ白(442)35g、ベージュ(406)5g・こげ茶(418)・白(401)・こげ茶(419)各適量
ぺんぎん？ きみどり(495)30g、白(401)・クリーム(478)・こげ茶(419)・薄茶(418)各適量
とんかつ 薄茶(418)30g、薄いピンク(405)・こげ茶(419)各適量
*綿適量
*7.5/0号かぎ針、とじ針

[ゲージ] 細編み 10cm角 14段 13目

[作り方]

[しろくま]

1 パーツを編み、綿を入れます。

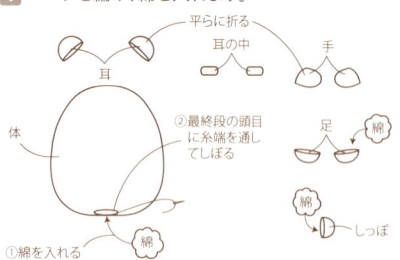

耳 — 平らに折る — 耳の中 — 手
体 — ②最終段の頭目に糸端を通してしぼる
①綿を入れる — 綿 — 足 — 綿 — しっぽ

2 体に耳・手・足・しっぽをつけます。

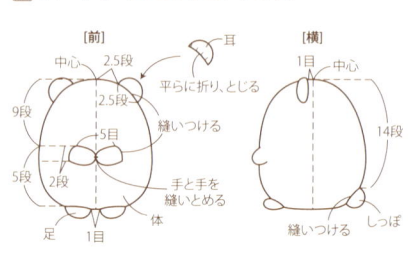

[前] 中心 2.5段 耳 2.5段 9段 5段 5段 2段 1目 手と手を縫いとめる 足 体
[横] 1目 中心 耳 縫いつける 14段 しっぽ 縫いつける

3 耳の中をつけます。

耳の中 — 半円に縫いつける

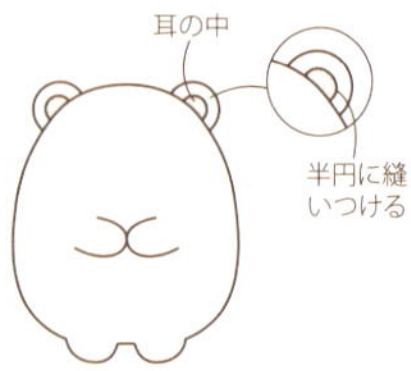

4 顔を作り、できあがり。

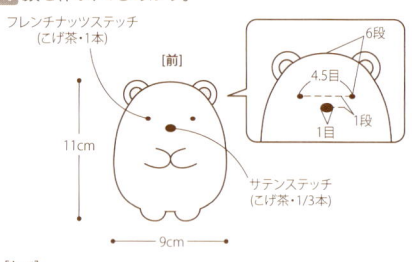

フレンチナッツステッチ(こげ茶・1本)
[前] 6段 4.5目 1段
11cm — サテンステッチ(こげ茶・1/3本) — 9cm
[後ろ]

[とんかつ]
※体・手・足の作り方、つけ位置はしろくまと同じ

楕円型に縫いつける — 鼻
[前] 6段 4.5目 0.5段 1段
10.5cm — フレンチナッツステッチ(こげ茶・1本) — 9cm
[横]

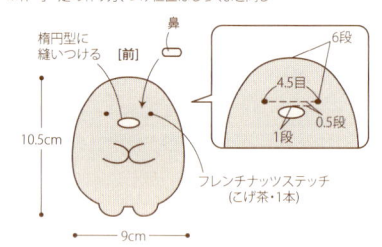

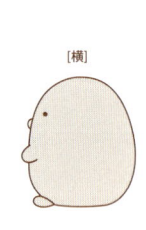

[ねこ]
※体・手・足の作り方、つけ位置はしろくまと同じ

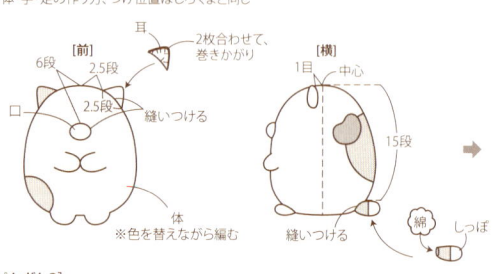

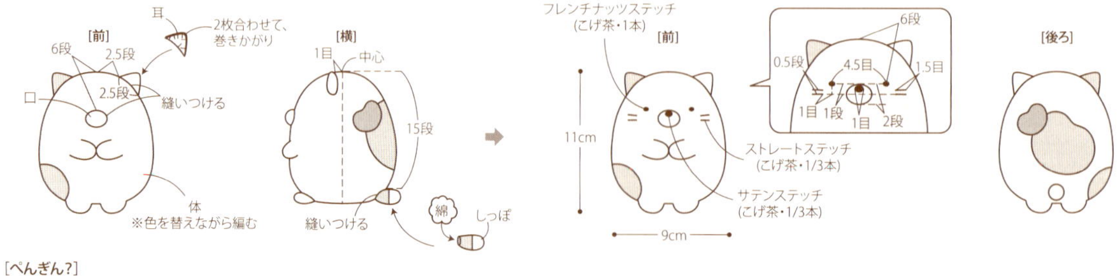

[前] 6段 2.5段 2.5段 口 縫いつける 体 ※色を替えながら編む
耳 2枚合わせて、巻きかがり
[横] 1目 中心 15段 縫いつける 綿 しっぽ

フレンチナッツステッチ(こげ茶・1本)
[前] 6段 0.5段 4.5目 1.5目 1目 1段 1目 2段
11cm — ストレートステッチ(こげ茶・1/3本) — サテンステッチ(こげ茶・1/3本) — 9cm
[後ろ]

[ぺんぎん？]
※体・手の作り方、つけ位置はしろくまと同じ

[前] 6段 口 縫いつける 2目 足 体 ※色を替えながら編む
[横]

バックステッチ(薄茶・1/3本)
[前] 6段 4.5目
10.5cm — フレンチナッツステッチ(こげ茶・1本) — 9cm
[横]

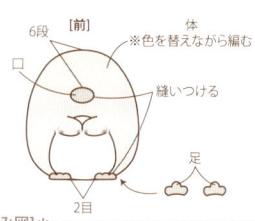

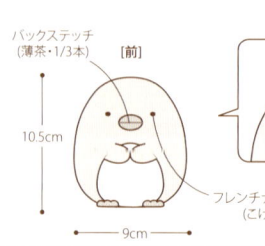

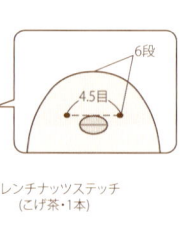

[編み図]

[しろくまの耳の中・2枚] 薄いピンク ※きつめに編む
くさり編み2目

[しろくまの耳・2枚] 白

[しろくまの手・2枚] 白

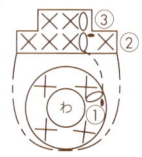

[しろくまの足・2枚] 白

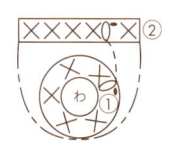

[しろくまのしっぽ・1枚] 白

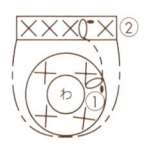

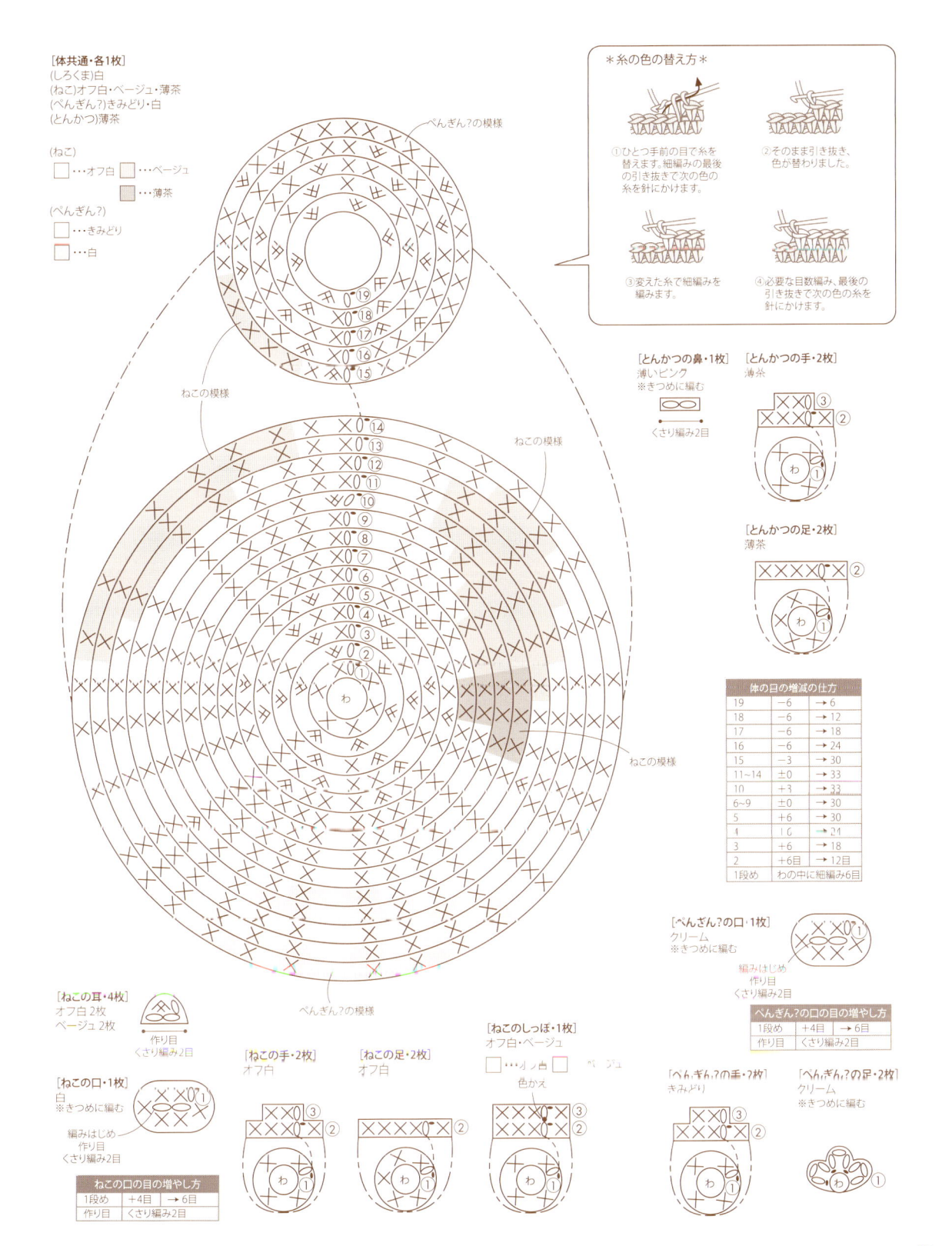

[体共通・各1枚]
(しろくま)白
(ねこ)オフ白・ベージュ・薄茶
(ぺんぎん?)きみどり・白
(とんかつ)薄茶

(ねこ)
□…オフ白　□…ベージュ
▩…薄茶

(ぺんぎん?)
□…きみどり
□…白

糸の色の替え方

①ひとつ手前の目で糸を替えます。細編みの最後の引き抜きで次の色の糸を針にかけます。

②そのまま引き抜き、色が替わりました。

③変えた糸で細編みを編みます。

④必要な目数編み、最後の引き抜きで次の色の糸を針にかけます。

ぺんぎん?の模様

ねこの模様

ねこの模様

ねこの模様

ぺんぎん?の模様

[とんかつの鼻・1枚]
薄いピンク
※きつめに編む
くさり編み2目

[とんかつの手・2枚]
薄茶

[とんかつの足・2枚]
薄茶

体の日の増減の仕方		
19	−6	→6
18	−6	→12
17	−6	→18
16	−6	→24
15	−3	→30
11〜14	±0	→33
10	+3	→33
6〜9	±0	→30
5	+6	→30
4	+6	→24
3	+6	→18
2	+6目	→12目
1段め	わの中に細編み6目	

[ぺんぎん?の口・1枚]
クリーム
※きつめに編む
編みはじめ
作り目
くさり編み2目

ぺんぎん?の口の目の増やし方	
1段め	+4目　→6目
作り目	くさり編み2目

[ねこの耳・4枚]
オフ白 2枚
ベージュ 2枚
くさり編み2目

[ねこの口・1枚]
白
※きつめに編む
編みはじめ
作り目
くさり編み2目

ねこの口の目の増やし方	
1段め	+4目　→6目
作り目	くさり編み2目

[ねこの手・2枚]
オフ白

[ねこの足・2枚]
オフ白

[ねこのしっぽ・1枚]
オフ白・ベージュ
□…オフ白
色かえ

[ぺんぎん?の手・2枚]
きみどり

[ぺんぎん?の足・2枚]
クリーム

P.30 たれぱんだ

[材 料] *毛糸[ハマナカボニー]:白(401)40g、黒(402)25g
*綿適量
*7.5/0号かぎ針、とじ針

[ゲージ] 細編み 10cm角 / 15段 14目

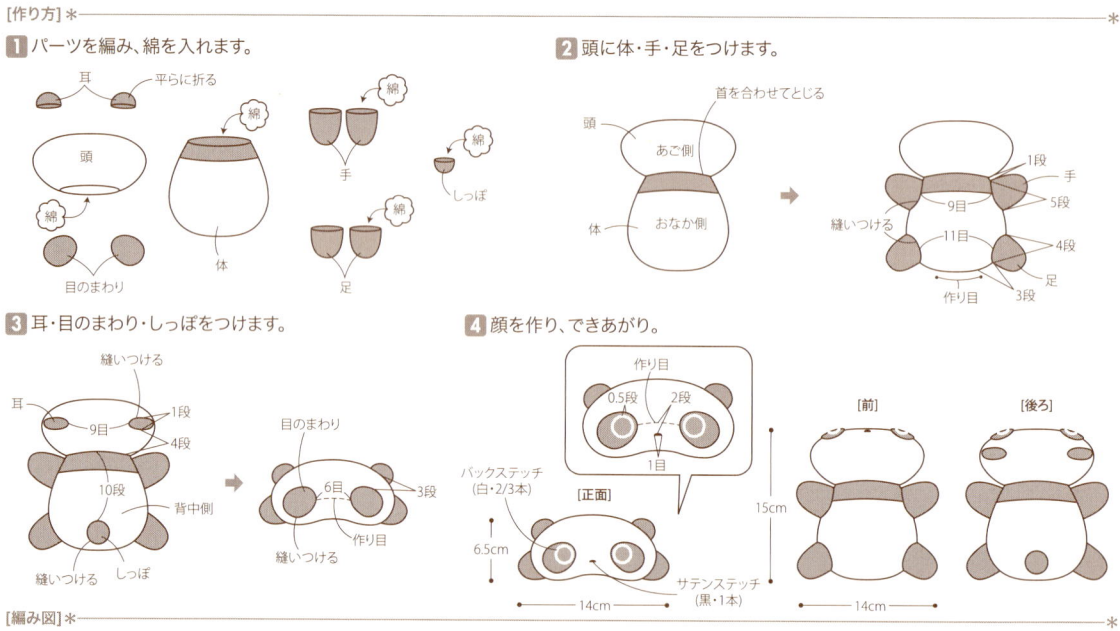

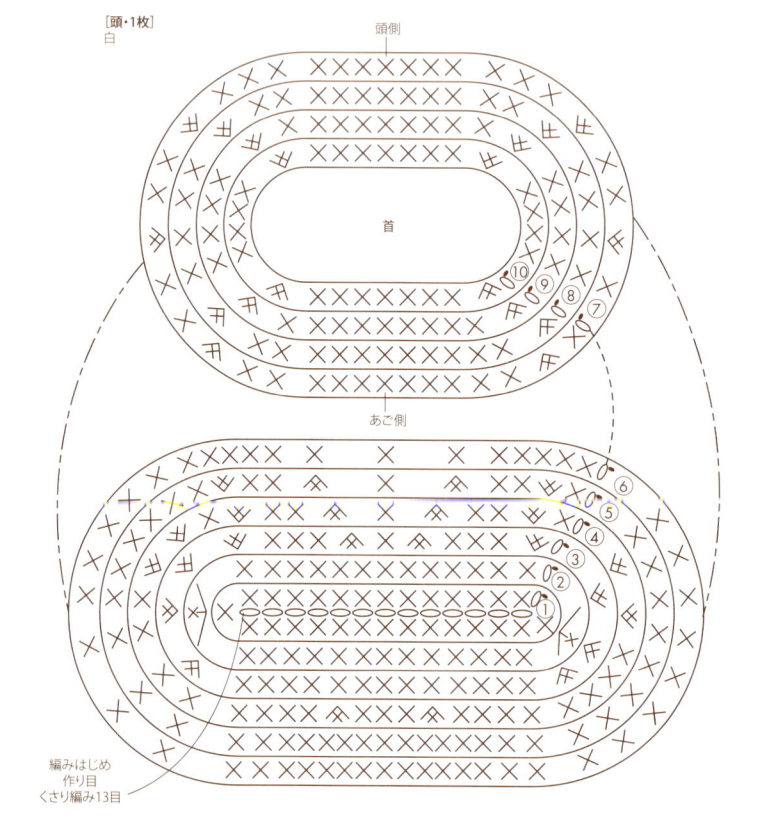

[作り方]

1 パーツを編み、綿を入れます。

耳 — 平らに折る
頭 — 綿
体 — 綿
手 — 綿
足 — 綿
しっぽ — 綿
目のまわり

2 頭に体・手・足をつけます。

頭 / あご側 / おなか側 / 体
首を合わせてとじる
縫いつける
手 — 1段 / 5段
9段 / 11段 / 4段
足 — 3段
作り目

3 耳・目のまわり・しっぽをつけます。

耳 — 縫いつける — 1段
9目 — 4段
10段
背中側
縫いつける — しっぽ
目のまわり — 6目 — 3段
縫いつける
作り目

4 顔を作り、できあがり。

作り目
0.5段 / 2段
1目
バックステッチ(白/2/3本)
[正面]
15cm
6.5cm
サテンステッチ(黒・1本)
14cm

[前] [後ろ]
14cm

[編み図]

[頭・1枚] 白
頭側
首
あご側
編みはじめ
作り目 くさり編み13目

[耳・2枚] 黒

耳の目の増やし方		
2	+2目	→8目
1段め	わの中に細編み6目	

頭の目の増減の仕方		
10	−4	→26
9	−4	→30
8	−4	→34
7	−6	→38
6	±0	→44
5	+2−2	→44
4	+8−2	→44
3	+8−2	→38
2	+4	→32
1段め	+15目	→28目
作り目	くさり編み13目	

[目のまわり・2枚]
黒
※毛糸2/3本できつめに編む

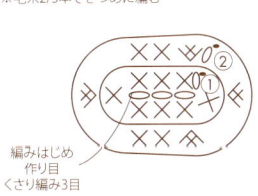

編みはじめ
作り目
くさり編み3目

目のまわりの目の増やし方		
2	+4目	→12目
1段め	+5目	→8目
作り目	くさり編み3目	

[手・2枚]
黒

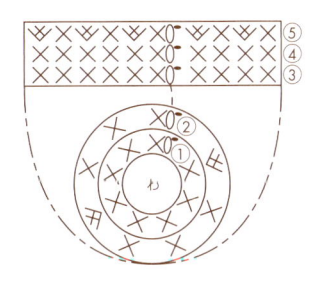

手の目の増やし方		
5	+5	→15
3・4	±0	→10
2	+2目	→10目
1段め	わの中に細編み8目	

[足・2枚]
黒

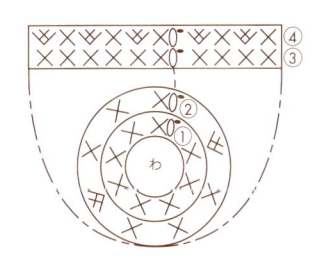

足の目の増やし方		
4	+5	→15
3	±0	→10
2	+2目	→10目
1段め	わの中に細編み8目	

[体・1枚]
白・黒
□…白 □…黒

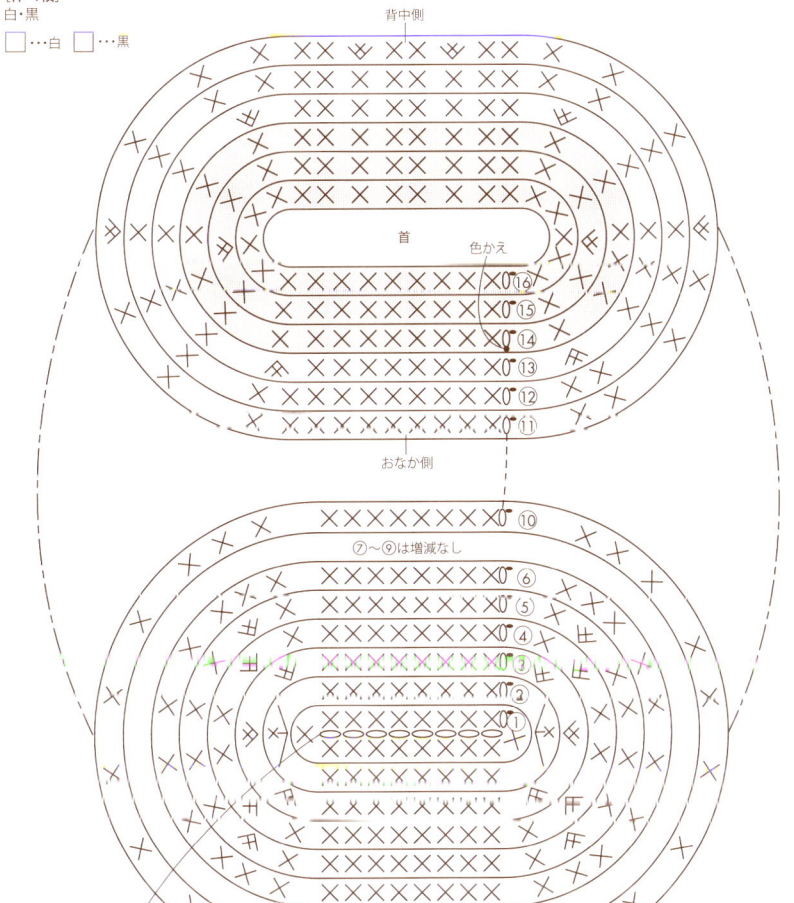

背中側
首
色かえ
おなか側

⑦～⑨は増減なし

編みはじめ
作り目
くさり編み8目

[しっぽ・1枚]
黒

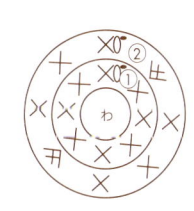

しっぽの目の増やし方		
2	+2目	→10目
1段め	わの中に細編み8目	

体の目の増減の仕方		
16	±0	→26
15	−2	→26
14	±0	→28
13	−4	→28
12	±0	→32
11	−4	→32
6～10	±0	→36
5	+4	→36
4	+4	→32
3	+6	→28
2	+4	→22
1段め	+10目	→18目
作り目	くさり編み8目	

P.22 センチメンタルサーカス（ムートン）

[材　料] *毛糸[ハマナカボニー]：エメラルドグリーン(407)45g、ピンク(479)・薄いピンク(405)各10g、黒(402)・白(401)各適量
*綿適量
*7.5/0号かぎ針、とじ針

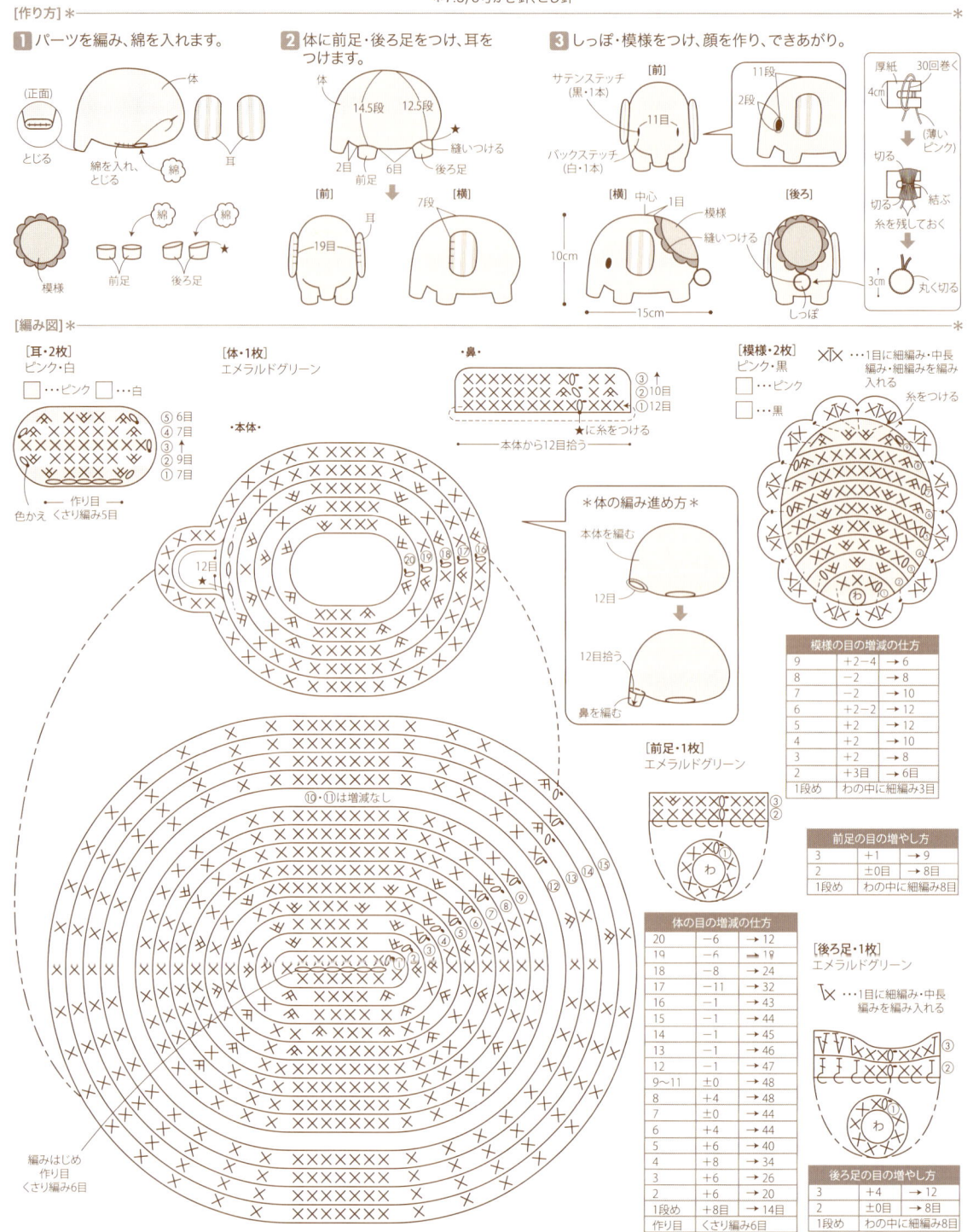

[ゲージ] 細編み 10cm角 16段 15目

[作り方]

1. パーツを編み、綿を入れます。
2. 体に前足・後ろ足をつけ、耳をつけます。
3. しっぽ・模様をつけ、顔を作り、できあがり。

[編み図]

[耳・2枚] ピンク・白
[体・1枚] エメラルドグリーン
・鼻・
[模様・2枚] ピンク・黒
[前足・1枚] エメラルドグリーン
[後ろ足・1枚] エメラルドグリーン

模様の目の増減の仕方

段	増減	目数
9	+2−4	→6
8	−2	→8
7	−2	→10
6	+2−2	→12
5	+2	→12
4	+2	→10
3	+2	→8
2	+3目	→6目
1段め	わの中に細編み3目	

前足の目の増やし方

段	増減	目数
3	+1	→9
2	±0目	→8目
1段め	わの中に細編み8目	

体の目の増減の仕方

段	増減	目数
20	−6	→12
19	−6	→18
18	−8	→24
17	−11	→32
16	−1	→43
15	−1	→44
14	−1	→45
13	−1	→46
12	−1	→47
9〜11	±0	→48
8	+4	→48
7	+4	→44
6	+4	→44
5	+4	→40
4	+8	→34
3	+6	→26
2	+4	→20
1段め	+8目	→14目
作り目	くさり編み6目	

後ろ足の目の増やし方

段	増減	目数
3	+4	→12
2	±0目	→8目
1段め	わの中に細編み8目	

この本で使われている編み目記号

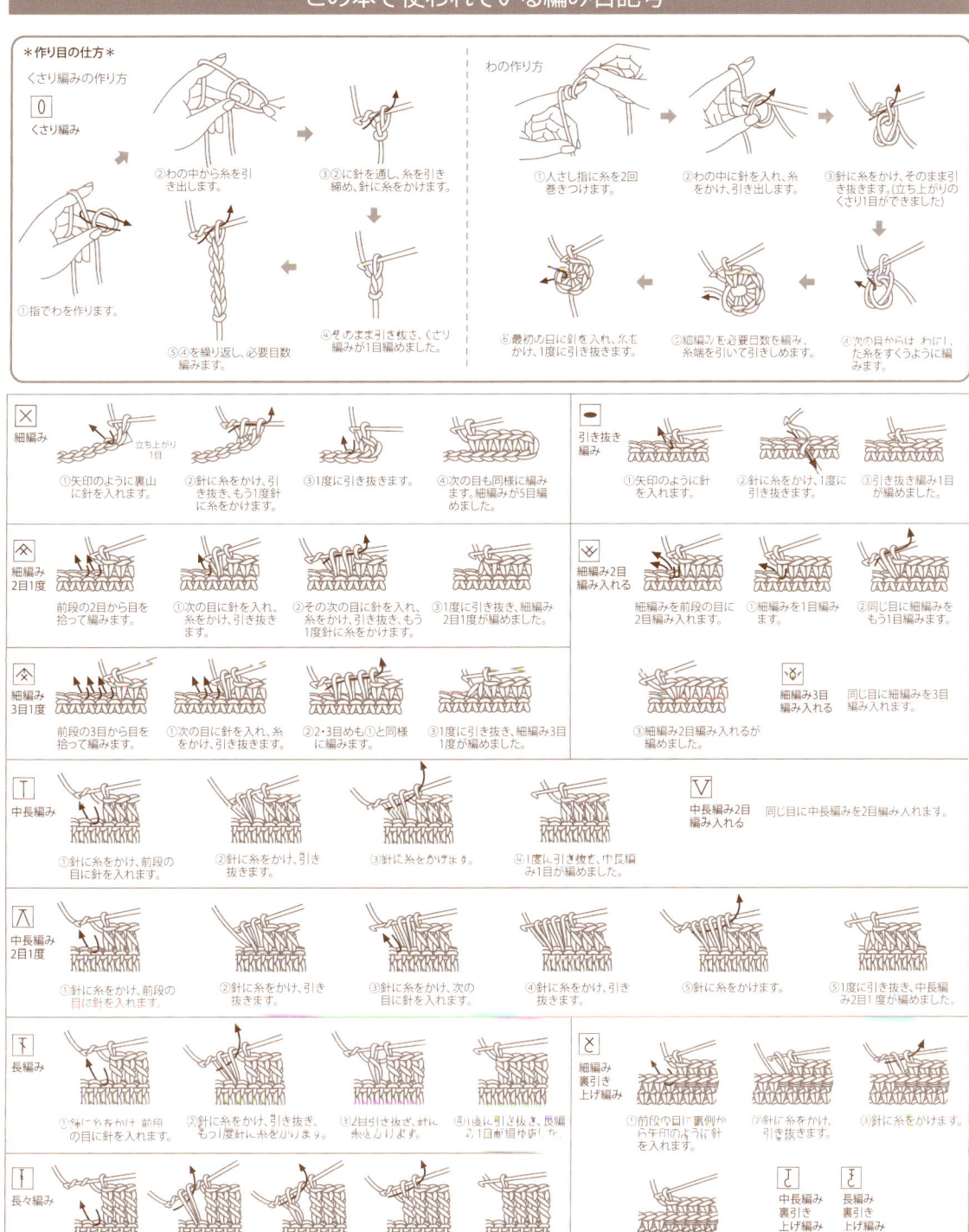

＊作り目の仕方＊

くさり編みの作り方

0	くさり編み

①指でわを作ります。
②わの中から糸を引き出します。
③②に針を通し、糸を引き締め、針に糸をかけます。
④そのまま引き抜き、くさり編みが1目編めました。
⑤④を繰り返し、必要目数編みます。

わの作り方

①人さし指に糸を2回巻きつけます。
②わの中に針を入れ、糸をかけ、引き出します。
③針に糸をかけ、そのまま引き抜きます。（立ち上がりのくさり1目ができました）
④次の目からは、わけた糸をすくうように編みます。
⑤細編みを必要目数編み、糸端を引いて引きしめます。
⑥最初の目に針を入れ、糸をかけ、1度に引き抜きます。

× 細編み
①矢印のように裏山に針を入れます。
②針に糸をかけ、引き抜き、もう1度針に糸をかけます。
③1度に引き抜きます。
④次の目も同様に編みます。細編みが5目編めました。
立ち上がり1目

● 引き抜き編み
①矢印のように針を入れます。
②針に糸をかけ、1度に引き抜きます。
③引き抜き編み1目が編めました。

∧ 細編み2目1度
前段の2目から目を拾って編みます。
①次の目に針を入れ、糸をかけ、引き抜きます。
②次の目に針を入れ、糸をかけ、引き抜き、もう1度針に糸をかけます。
③1度に引き抜き、細編み2目1度が編めました。

⋎ 細編み2目編み入れる
細編みを前段の目に2目編み入れます。
①細編みを1目編みます。
②同じ目に細編みをもう1目編みます。

∧ 細編み3目1度
前段の3目から目を拾って編みます。
①次の目に針を入れ、糸をかけ、引き抜きます。
②2・3目めも①と同様に編みます。
③1度に引き抜き、細編み3目1度が編めました。

Ⴟ 細編み3目編み入れる
同じ目に細編みを3目編み入れます。
③細編み2目編み入れるが編めました。

T 中長編み
①針に糸をかけ、前段の目に針を入れます。
②針に糸をかけ、引き抜きます。
③針に糸をかけます。
④1度に引き抜き、中長編み1目が編めました。

V 中長編み2目編み入れる
同じ目に中長編みを2目編み入れます。

⋏ 中長編み2目1度
①針に糸をかけ、前段の目に針を入れます。
②針に糸をかけ、引き抜きます。
③針に糸をかけ、次の目に針を入れます。
④針に糸をかけ、引き抜きます。
⑤針に糸をかけます。
⑥1度に引き抜き、中長編み2目1度が編めました。

† 長編み
①針に糸をかけ、前段の目に針を入れます。
②針に糸をかけ、引き抜き、もう1度針に糸をかけます。
③2目引き抜きます。さらに針に糸をかけます。
④1度に引き抜き、長編み1目が編めました。

⊃ 細編み裏引き上げ編み
①前段の目に裏側から矢印のように針を入れます。
②針に糸をかけ、引き抜きます。
③針に糸をかけます。
④1度に引き抜き、細編み裏引き上げ編み1目が編めました。

⫯ 長々編み
①針に糸を2回かけ、前段の目に針を入れます。
②針に糸をかけ、引き抜き、針に糸をかけます。
③2目引き抜き、針に糸をかけます。
④もう1度2目引き抜き、針に糸をかけます。
⑤1度に引き抜き、長々編みが1目編めました。

Ⴎ 中長編み裏引き上げ編み
⊋ 長編み裏引き上げ編み
中長編み、または長編みの編み方で前段の目のすくい方は、細編み裏引き上げ編みの①②と同じです。

63

リラックマのあみぐるみ with サンエックスの人気キャラ

スタッフ

作品デザイン
寺西 恵里子

作品制作
森 留美子　鈴木 凛　関 亜紀子　高橋 直子

監修
サンエックス株式会社

撮影
奥谷 仁

ブックデザイン
NEXUS DESIGN

作り方まとめ
鈴木 由紀

編集協力
サンエックス株式会社
ピンクパールプランニング

編集担当
加藤 敦

発行人
倉次 辰男

発行所
株式会社 主婦と生活社
〒104-8357　東京都中央区京橋3-5-7
編集部 ☎03-3563-7520
販売本部 ☎03-3563-5121
生産部 ☎03-3563-5125

製版所
東京カラーフォト・プロセス株式会社

印刷所
大日本印刷株式会社

製本所
株式会社若林製本工場

®本書を無断で複写複製（電子化含む）することは、著作権法上の例外を除き、禁じられています。本書をコピーされる場合は、事前に日本複製権センター（JRRC）の許諾を受けてください。また、本書を代行業者等の第三者に依頼してスキャンやデジタル化をすることは、たとえ個人や家庭内の利用であっても一切認められておりません。
JRRC（https://jrrc.or.jp/ Eメール:jrrc_info@jrrc.or.jp
☎03-3401-2382）

十分に気をつけながら造本しておりますが、万一、落丁、乱丁がありました場合は、お買い上げになった書店か小社生産部（☎03-3563-5125）へお申し出ください。お取り替えさせていただきます。

©2014 San-X Co., Ltd. All Rights Reserved.
©ERIKO TERANISHI
©SHUFU-TO-SEIKATSUSHA 2014 Printed in Japan
ISBN978-4-391-14425-3

この本に掲載しました作品の素材はハマナカ手芸糸を使用し、編み針はハマナカアミアミ手編み針を使用しています。糸・編み針・副資材のお問い合わせは下記へお願いします。

ハマナカ株式会社
〒616-8585　京都市右京区花園藪ノ下町2番地の3
☎075(463)5151(代)　FAX 075(463)5159

ハマナカHP
http://www.hamanaka.co.jp

e-mailアドレス
info@hamanaka.co.jp

手編みと手芸の情報サイト「あむゆーず」
http://www.amuuse.jp